D0674434

BERNARD QUESNAY

ANDRÉ MAUROIS
DE L'ACADÉMIE FRANÇAISE

BERNARD QUESNAY

GALLIMARD

I

— Monsieur Achille, dit le notaire, je suis prêt.

— Maître Pelletot, nous vous écoutons.

Le notaire affermit ses lunettes et commença l'office du jour :

— “ *Ce quinze mars de l'an mil neuf cent dix-neuf, par devant Me Pelletot, Albert-Amédée, notaire à Pont-de-l'Eure, ont comparu :*

“ *M. Achille Quesnay, manufacturier, demeurant au château de la Croix Saint-Martin, à Pont-de-l'Eure;*

“ *M. Camille-Marie Lecourbe, chevalier de la Légion d'honneur, manufacturier à Pont-de-l'Eure ;*

“ *M. Antoine-Pierre Quesnay, manufacturier à Pont-de-l’Eure;*

“ *Et le lieutenant Bernard Quesnay, actuellement mobilisé au 15e bataillon de chasseurs à pied, aux armées;*

“ *Lesquels ont arrêté comme suit les clauses et conditions de la Société en nom collectif qu’ils ont résolu de former entre eux, sous la raison sociale “ Quesnay et Lecourbe ”, et qui aura pour objet la fabrication et la vente des tissus de laine.* ”

Bernard Quesnay regarda la scène en amateur de peinture.

En face de lui, le visage de son grand-père, d’un rose vif sous les cheveux blancs, se détachait sur la tenture sombre avec l’éclat net, le contour d’un Holbein. A la droite et à la gauche du vieillard, son gendre Lecourbe et l’aîné de ses petits-fils, Antoine, personnages secondaires et voilés d’ombre, entendaient, résignés, le grimoire du notaire. Le battement monotone des métiers de l’usine faisait trembler visages et mains d’une vibration mécanique, qui donnait à ces trois hommes l’apparence passive des machines.

— “ *Le décès de l’un ou de l’autre des associés n’entraînera pas la dissolution de la Société, qui continuera de plein droit entre tous les associés survivants, sans que la veuve ou les ayants droit de l’associé pré-*

décédé puissent prétendre à autre chose qu'aux sommes inscrites au compte du défunt à l'inventaire précédent. "

— Agréable discours, pensa Bernard; il n'est question que de notre mort là-dedans... Mais le feu sacré doit brûler éternellement sous les chaudières familiales. Pour assurer la durée du culte, ce notaire accumule les précautions.... Que ferait M. Achille s'il se savait condamné à mourir demain? Sans doute il dicterait son courrier et préparerait son échéance...

— " *La présente Société sera constituée pour une durée de vingt années, le commencement de cette période étant fixé au premier juillet mil neuf cent dix-neuf. En cas de liquidation anticipée....* "

— Maître Pelletot est le chapelain de mon grand-père.... Nous voici pour vingt ans en paix avec les dieux.... Me voici, moi, pour vingt ans, lié à ce métier. Ai-je raison?

— " ... *Fait à Pont-de-l'Eure, au siège de la Société, l'an mil neuf cent dix-neuf, le quinze mars....* "

— Acheter de la laine, vendre du drap, telle va donc être ma vie.... Ma vie brève et unique.... Dans vingt ans, la partie sera jouée, tout espoir d'aventure perdu, toute chance de bonheur évanouie. Je ferai tous les matins ma tournée dans les ateliers;

le soir, au bureau, je dicterai : “ En réponse à votre honorée.... ” Le plus terrible est que je n’en souffrirai pas.... Et pourquoi? Qui me force à signer?

Une épaisse tristesse l’enveloppa; il se répéta :

— Ma vie brève et unique.... Dieu! Que ces vitraux sont laids! Et aux murs ce drap bleu, bordé d’un galon rouge, c’est affreux.... Il faut pourtant que j’écoute. J’engage ma vie par cet acte et je n’arrive pas à m’y intéresser. Mon oncle Lecourbe est vraiment ridicule. Même au repos, il a l’air important.

“ ... *Et, lecture faite, les comparants ont signé avec le notaire.* ”

La voix de maître Pelletot monta en prononçant la dernière phrase, comme monte la gamme des dernières gouttes d’eau qui remplissent un vase. Il se leva.

— Monsieur Bernard, permettez à un vieil ami de votre famille de vous féliciter de votre entrée dans une maison qui n’a cessé de grandir, et de vous souhaiter le succès si mérité qui fut toujours le partage de votre grand-père et de votre pauvre père.

Déjà, pour signer l’acte, le vieillard était allé s’asseoir pesamment dans le fauteuil quitté par le notaire.

M. Lecourbe, aimable et solennel, caressant sa

barbe carrée, voulut expliquer à Me Pelletot la situation économique. Grand lecteur de revues financières, il bâtissait sur des statistiques mouvantes des théories aussitôt lézardées. L'éclat de ses erreurs n'enlevait rien à l'autorité de ses prophéties.

— Les industries, dit-il, vont traverser une longue période de prospérité. Il en est ainsi après toutes les grandes guerres. Comme en 1815, comme en 1871, les besoins de l'Europe mutilée sont immenses.

— Immenses, approuva le notaire qui regardait avec tristesse les manches cirées et luisantes de sa redingote.

— Les économistes les plus distingués, dit M. Lecourbe en caressant sa barbe, prédisent que cette période de vaches grasses durera trente ans au moins. Pensez, maître Pelletot, qu'il faut reconstituer les régions dévastées de France, de Belgique, d'Italie, sans compter l'Autriche et la Russie. Jamais pareille tâche ne s'est offerte aux activités humaines.

Bernard et son frère Antoine échangèrent un sourire. L'éloquence de M. Lecourbe les amusait par la forme scientifique de son incohérence. Ses « jusqu'à un certain point et dans une certaine mesure », ses « à ce propos et dans un autre ordre d'idées » étaient célèbres dans la famille.

Les Quesnay, race rude et silencieuse, s'étonnaient d'avoir accueilli ce bavard.

— Les stocks de laine, continua M. Lecourbe, ont été épuisés par les habillements militaires. Au Japon....

M. Achille entendait avec impatience ces paroles inutiles. Sa main osseuse et poilue tourna rapidement, remontant une machine invisible. A ce rude signal, à ce rappel brusque des droits de l'engrenage sur l'homme, son gendre et ses petits-fils dociles, disparurent aussitôt, comme si quelque câble puissant les avait entraînés vers l'usine.

II

M. Achille, vieillard de soixante-douze ans, et fort riche, faisait de l'industrie comme les vieux Anglais font du golf, avec dévotion. A la question de son petit-fils : " Pourquoi passer une vie brève à fabriquer des tissus ? " il aurait sans doute répondu : " Pourquoi vivre si l'on n'en fabrique pas ? " Mais toute conversation qui ne traitait pas de la technique de son métier n'était pour lui qu'un bruit négligeable.

Descendant de fermiers qui s'étaient faits tisseurs au temps du Premier Empire, M. Achille gardait de cette origine paysanne un besoin violent de travail et une méfiance incroyable. Ses maximes étonnaient par un mépris sauvage des hommes. Il disait : " Toute affaire que l'on me propose est mauvaise, car si elle était bonne on ne me la proposerait pas. " Il disait aussi : " Tout ce qu'on ne fait pas soi-même n'est jamais fait. » « Tous les renseignements sont faux. »

La brutalité de ses réponses épouvantait les courtiers en laine, dont les mains tremblaient en ouvrant devant lui leurs paquets bleus. Il ne croyait pas que l'amabilité et la solvabilité fussent des vertus compatibles. A client flatteur il coupait le crédit. Avec les étrangers, qu'il appelait des « exotiques », sans distinguer d'ailleurs les Européens des Canaques, il se refusait à tout commerce.

Comme tous les grands mystiques, M. Achille menait une vie austère. Le luxe était à ses yeux le premier des signes de l'indigence. Dans les femmes, il ne voyait que les tissus dont elles s'enveloppaient. Dans sa bouche, le : « Je tâte votre habit, l'étoffe en est moelleuse », eût été naïf et sans arrière-pensée. Privé du cliquetis de ses métiers, il dépérissait aussitôt. Il ne vieillissait que le dimanche et des vacances l'auraient tué. Ses deux seules passions étaient l'amour des « affaires » et la haine qu'il portait à M. Pascal Bouchet, son confrère et concurrent.

Les hauts toits rouges des usines Quesnay dominaient le bourg de Pont-de-l'Eure, comme une forteresse le pays qu'elle protège. A Louviers, petite ville distante seulement de quelques lieues, les usines Pascal Bouchet alignaient au bord de l'Eure leurs nefs râblées et tortueuses.

En face de l'industrie impériale des cartels allemands, cette industrie française d'avant-guerre demeurait féodale et belliqueuse. De leurs châteaux forts voisins, les deux fabricants de la Vallée se faisaient une guerre de tarifs et la souhaitaient meurtrière.

Un négociant qui disait à M. Achille : "Bouchet vend moins cher ", lui faisait aussitôt baisser ses prix. Un contremaître de M. Pascal qui annonçait : " On me demande chez Quesnay ", était augmenté à la fin du mois. Cette lutte coûtait cher aux deux maisons ennemies. Mais M. Pascal Bouchet, semblable en cela à M. Achille, considérait l'industrie comme un sport guerrier et ne parlait qu'avec orgueil des coups reçus dans les campagnes saisonnières.

— Pascal! disait M. Achille après chaque inventaire.... Pascal est un fou qui se ruinera en deux ans.

Il le disait depuis trente-cinq ans.

M. Pascal dissimulait mieux des sentiments aussi violents. Plus jeune et beaucoup moins rustique que son ennemi héréditaire, il avait la forte culture classique qui était celle des bourgeois français vers la fin du Second Empire et la comparait souvent au " pied d'indigo " sans lequel toute teinture manque de solidité. Ses discours, toujours ornés de citations latines et son allure majestueuse l'avaient fait nommer président de la Chambre de commerce de Pont-de-l'Eure. Il vivait bien, avait acheté le charmant château de Fleuré, bâti pour Agnès Sorel, possédait des tableaux, de beaux livres, et chassait avec les hobereaux de la Vallée, goûts frivoles que blâmait son austère rival. L'aînée de ses filles, Hélène, avait épousé le comte de Thianges, député de Pont-de-l'Eure.

La guerre avait rapproché, malgré l'un, malgré l'autre, M. Achille et M. Pascal. En 1917, Françoise Pascal-Bouchet était devenue la femme d'Antoine Quesnay, blessé et réformé, révolution diplomatique plus étonnante que celle qui alliait la France et l'Angleterre, si peu d'années après Fachoda.

Depuis la réconciliation, ces deux vieillards, qui avaient passé leurs longues vies en de patients efforts pour se ruiner l'un l'autre, n'avaient pas de plaisir plus vif que de se réunir le soir chez leurs enfants et d'y parler des temps héroïques. Entassés en deux profondes bergères, se faisant pendant aux deux angles d'une cheminée, aussitôt après un commentaire assez bref du communiqué, ils reprenaient le récit de leurs combats textiles.

— Vous souvenez-vous, monsieur Pascal, de ces flanelles blanches que vous avez vendues à

Delandre quinze centimes au-dessous du prix de revient?

— Je crois bien! J'étais pressé ce jour-là et j'avais oublié de compter la filature.... Mais vous-même, monsieur Achille, expliquez-moi comment vous pouviez faire ce pardessus à cinq francs dont Roch vous achetait de tels paquets?

— Je ne le pouvais pas, j'y mangeais de l'argent, mais cela vous ennuyait bien, n'est-ce pas?... Je le pensais.

M. Achille se frottait les mains en contemplant l'image rétrospective de la fureur de M. Pascal. M. Pascal riait avec dignité dans sa belle barbe blanche. Chacun d'eux, à entendre décrire par l'adversaire de jadis, la face, invisible alors pour lui, d'événements qui l'avaient si fort passionné, trouvait la vive satisfaction intellectuelle qu'éprouveraient, après la signature de la paix, des chefs ennemis, mais qui s'estiment, à se faire mutuellement visiter leurs systèmes de tranchées et de boyaux, et le souvenir des jours difficiles consolait un peu ces burgraves de la fade prospérité d'une industrie sans concurrence.

III

Le battement des métiers animait l'air d'une vibration légère. Par la fenêtre ouverte on apercevait, au-dessus de la couronne vaporeuse des tilleuls, les longs toits orange de l'usine. La brume bleutée des matins normands flottait sur le jardin des Antoine. Bernard déboucla son âme militaire. La souplesse des vêtements civils l'enchanta.

— Quel temps! murmura-t-il tout en s'habillant.... Il ferait bon monter à cheval et sauter quelques fossés.

Surpris par la guerre à vingt ans, soldat depuis près de sept années, il sentait qu'il ne serait plus jamais un véritable Quesnay. Ayant pris l'habitude de considérer comme des camarades, ou des chefs, les êtres en qui son grand-père n'avait jamais vu que des fournisseurs, des clients, des ouvriers, il les classait maintenant d'après leur courage, leur esprit, et non, comme le doit un

Quesnay, d'après leur crédit, leur travail. Parfois même, oubliant que les hommes ont été créés pour acheter, porter et vendre des tissus, il se prenait à envier l'oisiveté studieuse des riches amateurs d'art.

Au 15e chasseurs, il avait choisi comme ami le plus intime un jeune écrivain, alors sergent comme lui, et il avait passé dans le petit appartement que ce Delamain occupait à Paris, une permission grave et délicieuse. Dans une chambre blanchie à la chaux, meublée d'une chaise et d'un lit-cage, il avait goûté les plaisirs vifs de la pauvreté volontaire. Delamain lui avait fait lire Stendhal, lecture très dangereuse pour un Quesnay, parce qu'elle enseigne la haine de l'ennui.

« Si j'avais de la volonté ou seulement du bon sens, pensa-t-il en nouant sa cravate, j'annoncerais dès ce matin mon départ à M. Achille et j'irais m'installer à Paris. J'y ferais des mathématiques, de l'histoire, de l'escrime, du cheval et je verrais Simone tous les jours. Ce serait le bonheur.... »

— Bernard! appela du jardin une voix de femme.

Il alla à la fenêtre et vit sa jeune belle-sœur sur la pelouse ensoleillée.

— Comment, Françoise, déjà levée?

— Déjà, Bernard? Mais il est dix heures!...

M. Achille va vous dévorer. Antoine est parti depuis longtemps.... *Come down and have breakfast with me*[1].... J'ai du haddock pour vous, je sais que vous aimez ça.

— *But how nice of you*[2], Françoise! Je serai prêt dans une minute.

Il acheva très vite de s'habiller et la rejoignit dans la salle à manger.

— C'est ravissant, votre nappe bise encadrée de violet, cette corbeille de glycine et d'acacia.... Vous avez un goût charmant.

— Le goût Pascal-Bouchet, dit-elle avec gaieté et défi.

Il était vrai qu'elle avait apporté dans la famille Quesnay, insensible jusqu'à elle aux belles choses, le goût des Pascal-Bouchet que louaient les antiquaires d'Evreux et de Nonancourt.

Bernard admira la rusticité des boiseries, le plafond aux poutres noires et blanches, la grande baie sur le jardin fleuri. Tout au fond de sa pensée, minuscule et presque invisible, un ancêtre Quesnay protesta contre ce décor trop parfait.

— Vous ne voyez pas le plus beau, Bernard.... Mes tôles peintes.... Admirez-les.

1. Descendez et venez déjeuner avec moi.
2. Mais comme vous êtes gentille, Françoise.

— Je les admirerai ce soir.... Vous avez raison, je suis terriblement en retard.

Il avala d'un trait sa tasse de thé, sauta d'un bond les six marches du perron, galopa comme un enfant sur la pelouse inclinée qui descendait vers la ville et l'usine, et ne reprit le pas qu'à dix mètres des établissements Quesnay et Lecourbe.

Au bureau, M. Achille l'accueillit en regardant sa montre, reproche muet. M. Lecourbe, caressant sa barbe carrée et grisonnante de président Carnot, fit passer au soldat défroqué le courrier du matin.

— Vous allez trouver, lui dit-il, les affaires brillantes et faciles.

— Trop faciles, grommela M. Achille.

Feuilletant distraitement les lettres étalées, Bernard vit tous les peuples de la terre implorer avec humilité la faveur d'acheter. Sur les demandes d' “ exotiques ” M. Achille avait écrit au crayon bleu : “ Ne pas répondre. ”

A la typographie des en-têtes, Bernard se divertit à deviner la psychologie de ces inconnus. Un papier de petit format l'intrigua par sa discrète élégance.

— Qui est Jean Vanekem, gentilhomme commerçant?

— Vanekem? dit M. Lecourbe avec fierté,

c'est un petit-cousin à moi. Il a monté en 1916 une affaire de commission et il occupe maintenant un immeuble entier rue d'Hauteville. C'est un garçon d'une intelligence admirable! Il a un bureau immense, un bureau, mon ami, grand comme le Cercle d'ici!

Bernard, debout près de la fenêtre, regardait quatre hommes, dans la cour boueuse, charger une voiture de pièces. Ne se sachant pas observés, ils plaisantaient et jouaient. Mais l'un d'eux, ayant aperçu les patrons, dit quelques mots à voix basse et tout le groupe devint actif et triste. Bernard soupira :

— Et les relations avec les ouvriers? demanda-t-il.

— Excellentes, dit M. Lecourbe en caressant sa barbe avec satisfaction.

Remontant d'un tour de poignet sa machine invisible, M. Achille dirigea ses petits-fils vers les ateliers.

Des tonneaux d'huile, des balles de laine, des caisses de fils jalonnaient la longue cour de l'usine. Dans les ateliers, Bernard retrouva les odeurs si familières à son enfance : odeur forte de la laine grasse, odeur fade de la vapeur humide. Des visages familiers évoquèrent avec une rapidité qui le surprit des noms oubliés depuis sept ans.

— Tiens, Quibel, vous boitez?

— Oui, monsieur Bernard, depuis la Somme.... Quand ils m'ont retiré ma godasse gauche, le pied est venu avec.

— Et vous, Heurtematte?

— Moi, m'sieur Bernard, j'ai été réformé après les Dardanelles.

— Ah! oui? ça devait chauffer, les Dardanelles?

— C'était pas drôle. Mais l'Caire, c'est une belle ville. Vous ne connaissez pas? Des femmes comme à Paris.

Traversant la filature où les grands métiers manœuvraient doucement leurs larges nappes de fils blancs, ils arrivèrent dans la salle des épinceteuses, où une centaine de femmes, assises devant de longues tables, arrachaient avec des pinces les pailles et les bouchons de laine. Là, les plus anciennes ouvrières, les plus loyalistes, firent fête à Bernard.

— Madame Petitseigneur! Madame Quimouche! Vous allez toujours bien?

— Ah! M'sieur Bernard! M'sieur Bernard, vous v'là-t'y revenu?

— Ces pièces n'ont pas l'air belles, mesdames?

— Ah! Pour sûr! C'est de la mauvaise ouvrage m'sieur Bernard. Ce qu'il nous faudrait, c'est de l'ouvrage d'avant-guerre. Tout ce qu'on fait maintenant, c'est de la Saint-Jean.

Derrière ces dames, par la fenêtre à tabatière, on apercevait les toits rouges de l'usine, l'eau verte des réservoirs, la rivière, trait de pinceau bleu vif qui brillait à travers les peupliers d'argent, plus loin, les courbes douces des collines violettes. Le bâtiment était haut, et le mouvement des métiers lui imprimait un balancement qui faisait danser le paysage.

IV

M. Achille installa son petit-fils dans son bureau particulier, antre obscur, encombré de registres centenaires, et lui confia des “ prix de revient ” à vérifier. Dans ces calculs, rites les plus cachés de la magie industrielle, un profane n'aurait vu que problèmes vulgaires; les initiés savaient la part de l'inspiration poétique. Seul le génie des Quesnay dictait à M. Achille, dans une sorte de délire sacré, la décision soudaine d'oublier ses frais généraux pour enlever une adjudication convoitée par Pascal Bouchet, de majorer son prix de tissage jusqu'à la folie pour fuir la faveur dangereuse des “ exotiques ”.

Mais Bernard, novice sans vocation, n'apercevait pas la grandeur de son ministère. Devant lui, les briques crasseuses d'un long bâtiment tout en fenêtres emplissaient l'horizon. Sur le cliquetis des métiers toujours sensible dans l'air mobile, il broda le début de la *Pastorale*, puis, secouant la tête, se remit au travail :

— 12 kilos de chaîne à 56 francs... 672 francs... 14 kilos de trame à 27 francs... 378 francs.... Tissage : 82.000 duites à... à combien?

Il fredonna la *Ronde des Paysans*.

— Delamain et ses amis diraient encore que j'ai mauvais goût. Mais que m'importe à moi que Beethoven se répète si ce qu'il répète me plaît? Non, seulement c'est trop rond, trop simple pour eux.... Moi aussi je comprends Stravinsky, mais ça n'enlève rien à Beethoven.... Et mon prix de revient... 82.000 duites.... On joue du Wagner samedi chez Pierné et, le soir, du Molière au Vieux-Colombier. J'aurais pu y emmener Simone.... En la prévenant à temps, elle sèmerait son mari. Mais il faudrait partir pour Paris le matin : fol espoir... les secousses des métiers qui agitent ma table me rappellent au respect des lois de Pont-de-l'Eure.... A la vitre de ma porte frappe d'une main redoutable M. Cantaert, qui n'a pas l'air content de moi. Voici M. Cantaert dans sa blouse blanche.

M. Cantaert, directeur des achats, traitait ses jeunes patrons avec sévérité :

— Monsieur Bernard, il faut absolument que vous parliez à Desmares, votre directeur de filatures; cet homme-là n'est pas sérieux. Voilà trois clefs anglaises qu'il me demande en quinze jours!

— Monsieur Cantaert, je le lui dirai.

— Oui, il faut le lui dire. Et puis, monsieur Bernard, je voudrais que vous regardiez ce compte de papier des emballeurs. Est-il possible, je vous le demande, de consommer une tonne de papier en dix jours, quand....

— Monsieur Cantaert, les emballeurs sont des criminels et je le leur ferai savoir.

— Ce que j'en dis, monsieur Bernard, c'est dans l'intérêt de la maison. Vous avez l'air ennuyé que je vous parle de ces détails, pourtant, tout ça, c'est important.

— Mais bien sûr, monsieur Cantaert.

— Par les économies que je fais faire, je gagne deux fois mes appointements. Ces messieurs ne me comprennent pas assez. Pour pouvoir contrôler, il me faut l'appui du patron.

— Vous l'aurez, monsieur Cantaert.

La blouse blanche de M. Cantaert disparut au tournant d'une voûte. Bernard, appliqué, plongea dans le registre des prix de revient.

— ... 82.000 duites à 0 fr. 60, plus dix centimes de vie chère... 65 francs. Epincetage, ourdissage, encollage... 50 francs... Entrez!

Rouge de fureur, M. Desmares entra.

— Monsieur Bernard, est-il vrai que vous avez

dit à Cantaert de me faire des reproches sur ma consommation d'outils?

— Il serait plus exact de dire, monsieur Desmares, que M. Cantaert est venu se plaindre à moi....

— Monsieur Bernard, si vous n'avez pas confiance en moi, je n'ai plus qu'à renoncer à diriger votre filature. Les clefs anglaises, je ne les mange pas; si je les demande, c'est que j'en ai besoin. Ce Cantaert! Je ne veux plus avoir affaire à lui!

— Monsieur Desmares, vous n'aurez plus affaire qu'à moi.

— De vous, monsieur Bernard, j'accepte tout. Mais de lui!...

Calmé, il partit. Le jeune homme soupira.

— Le gouvernement des hommes est un métier difficile. Pour y réussir, il faut être tout à fait dépourvu d'entêtement. La psychologie de ces directeurs est celle des héros d'Homère. Le livre le plus utile à un chef d'industrie, ce ne sont pas les barèmes de Taylor, ce sont les *Caractères* de La Bruyère. En y remplaçant la recherche des places par celle de la fortune, le chapitre " De la cour " deviendrait un " Des affaires " admirable.... Dans cinq minutes, M. Achille va me réclamer son prix.... Teinture... 22 kilos à 6 francs... 132 francs.... Apprêts... 50 francs.... Frais généraux.... Oh! Qu'est-ce encore?... Entrez!...

On frappa deux fois, timidement.

— Entrez! cria-t-il plus fort. Entrez, bon Dieu!

Des mains tremblantes tournèrent avec peine le bouton de la porte. Cinq vieilles femmes entrèrent : mains noueuses jointes devant le tablier noir, visages honnêtes et pâles d'émotion. Ce chœur de suppliantes vint se former en ligne et s'arrêta pour reprendre haleine.

— Madame Petitseigneur? Madame Quimouche? Qu'est-ce que je peux faire pour vous, mesdames les épinceteuses?

— M'sieur Bernard, je v'nons chez vous parce que j'osons pas aller trouver m'sieur Achille. J'espère que vous nous en voudrez point de venir vous parler de raugmentation le lendemain de votre retour, mais on peut pus vivre! C'est les paysans m'sieur Bernard, c'est les paysans qui nous dévorent. Allez-y plutôt voir au marché du Pont-de-l'Eure; un lapin, ça vaut quat' francs cinq sous; les pois, on peut seulement pas y toucher! Tant plus que vous nous payez, tant plus que ça renchérit! Les tisserands qui sont payés des quatre-vingts, cent francs, y n'hésitent point, mais nous, j'sommes toujours sacrifiées! Les épinceteuses, c'est tout partie veuves, mais c'est indispensable à la fabrication, m'sieur Bernard....

Il leur sourit, embarrassé; leur bonne foi anxieuse était évidente. Il aurait aimé leur distribuer des richesses qui les eussent étonnées et ravies, mais l'ombre de M. Achille flottait, redoutable et prudente, dans la vapeur des chaudières qui ternissait les vitres du bureau. Il dit quelques phrases vagues : il arrivait à peine, n'était pas au courant, devait consulter son grand-père.

— Bien sûr, m'sieur Bernard, prenez vot' temps. Soyez tranquille, j'allons point nous mettre en grève.... J'aimons point de faire les singes dans la rue.

Maints jointes devant le tablier noir, le chœur des suppliantes s'éloigna.

V

M. Achille, depuis la mort de sa femme, dînait tous les dimanches chez les Antoine. Il y parlait peu, hors deux ou trois plaisanteries à l'adresse de Françoise sur ses goûts Pascal-Bouchet. Après le dîner, il fumait un cigare en jetant des regards hostiles sur certains objets qu'il haïssait plus que d'autres : une chaise à porteurs peinte en vert, un modèle de frégate, un baromètre ancien. Aux murs, les violets doux des toiles de Jouy, aux fenêtres, les rideaux d'un jaune paille éteint, semblaient diffuser dans le salon une sérénité lumineuse.

Antoine lisait *Le Consulat et l'Empire* ou réparait des sonnettes, des prises de courant; il n'était heureux qu'avec Thiers, Taine, M. de Tocqueville, ou bien un tournevis, un marteau à la main. A l'usine, il vivait dans l'atelier des mécaniciens et inventait pour les machines des petits perfectionnements ingénieux. Quand son grand-père était présent, il paraissait gêné et comme au garde à vous. Il le regardait de temps à autre; il voyait que le vieillard pensait : " Quel salon pour mon petit-fils, et quelle femme! " et souffrait un peu, en silence.

Françoise, plaquant distraitement des accords, les regardait avec un étonnement triste que deux ans d'expérience n'avaient pas apaisé. La vie morne des Quesnay l'étouffait. Chez son père, à Fleuré, ces réunions du soir étaient presque toujours vives et gaies; il y avait des hôtes, on jouait, on lisait à haute voix, on faisait de la musique. Mais ces Quesnay, hors des heures de travail, étaient comme des machines débrayées. Ils attendaient le moment du retour à l'usine et ne retrouvaient un peu de vie que si l'un d'eux évoquait un détail oublié : client mécontent, ouvrier malade, pièce abîmée.

" Comme Antoine était différent pendant nos fiançailles, pensait Françoise.... Mais alors il était officier, il voyait à peine son grand-père; il regardait de loin, avec indifférence, cette usine que je déteste. Il avait le temps de penser à moi. Il me prêtait des livres, me les expliquait. Il était tendre, gentil. "

Elle se rappela leurs rendez-vous au bord de la

rivière à mi-chemin entre Pont-de-l'Eure et Louviers. En ce temps-là, elle était très fière de rapprocher les Montaigu et les Capulet de la Vallée. Antoine lui avait donné une ravissante édition de *Roméo et Juliette*, reliée de peau de daim violette, avec une dédicace : " *To Juliet.* " Elle avait toujours aimé cette couleur " parme ". Il y avait deux ans, et cet enthousiasme délicieux l'avait conduite à des soirées comme celle-ci. Ses doigts, glissant doucement sur les touches, esquissèrent un air de Schumann.

— " Les roses, les lis, le soleil, les colombes.... " fredonna Bernard, et il lui sourit.

Il se leva, vint s'asseoir à côté de M. Achille et raconta la visite des épinceteuses.

— En somme, conclut-il, elles ont raison.

— Elles ont raison, grommela M. Achille. C'est facile à dire... Tout le monde a raison.

— Il ne s'agit pas de tout le monde, dit Bernard, un peu nerveux. Si vous accordiez vingt centimes par heure à ces femmes, la terre continuerait à tourner.

— Vingt centimes par heure et par ouvrier, dit M. Achille, cela fait un million au bout de l'année.

— Mais, encore une fois, dit Bernard, il ne s'agit pas de toute l'usine.

— Tu ne peux pas, dit Antoine, abandonnant

Thiers, augmenter les uns sans augmenter les autres. La hiérarchie des métiers est sacrée. Une rentrayeuse veut gagner plus qu'une épinceteuse, un fileur plus qu'un tisserand.

— Et pourquoi? dit Bernard. Ils ont les mêmes estomacs, les mêmes besoins.

— Il n'y a pas de pourquoi, dit M. Achille en haussant les épaules, c'est comme ça.

Neuf heures sonnaient. Il se leva. Il ne disait jamais bonsoir à personne. Antoine l'accompagna jusqu'à la grille. Bernard resta seul avec sa belle-sœur; pivotant sur le tabouret de piano avec une sorte de jeunesse libérée, elle le regarda avec un sourire d'amitié, presque de complicité. Elle l'avait peu connu avant la guerre, mais l'avait vu souvent depuis que l'armistice rendait les permissions faciles. Elle lui inspirait un sentiment assez curieux, mélange d'admiration, de sympathie, de crainte. Crainte de quoi? Il n'aurait su le dire. Elle semblait toujours prête à le prendre comme confident; c'était peut-être de cela qu'il avait peur. Il tenait beaucoup à son loyalisme fraternel. D'ailleurs, encore une fois, confident de quoi? Antoine adorait sa femme; c'était un mari parfait.

— *Well, Bernard, how are you getting on*[1]? dit-elle.

1. Eh bien, Bernard, que devenez-vous?

Elle avait été élevée par une institutrice anglaise et avait toujours parlé anglais avec ses sœurs. C'était pour elle le langage du mystère, de l'intimité. Bernard, qui avait passé un an à Londres, l'employait aussi volontiers et cela les avait rapprochés. Antoine comprenait, mais plus difficilement.

— Eh bien, dit Bernard, j'essaie de reprendre les habitudes de Pont-de-l'Eure. Ce n'est pas très drôle.

— Drôle? dit-elle avec indignation. Ah! non, Pont-de-l'Eure n'est pas drôle! Et encore étais-je un peu préparée. Louviers n'est pas si loin, ni si différent. Mais si vous épousez une Parisienne, vous, je la plaindrai.

— Vous n'aurez personne à plaindre, Françoise, rassurez-vous, je ne me marierai certainement pas.

— Qu'en savez-vous?

— Êtes-vous discrète? Savez-vous garder une confidence?

— Ce n'est pas une confidence, mon pauvre Bernard; tout le monde ici sait que vous avez une liaison, qu'on vous rencontre à Paris, et ailleurs, avec une très jolie femme. Mais une liaison n'est pas éternelle.

— Non, bien sûr, parce que je suis mortel moi-même, mais cela durera aussi longtemps qu'elle le voudra.

— Vraiment? dit Françoise, animée et heureuse. Vous l'aimez beaucoup? Elle est belle?

— Que voulez-vous que je vous dise? Je suis partial. Mais honnêtement, jamais, depuis que je la connais, je n'ai rencontré une femme qui pût lui être comparée, sauf peut-être vous, Françoise.... Non, ce n'est pas un compliment idiot, elle vous ressemble. J'ai même souvent pensé qu'il est curieux que les deux frères Quesnay se soient épris de femmes du même type. Seulement Simone a quelque chose de hardi que vous n'avez pas. Chez vous, c'est plutôt la douceur résignée qui est l'expression dominante.

« Est-ce que j'ai un air de douceur résignée? se demanda Françoise avec curiosité. Je me sens si peu résignée! J'ai envie.... »

— Mais, Bernard, dit-elle, pourquoi ne l'épousez-vous pas?

— D'abord, parce qu'elle est mariée. Et puis, je ne crois pas au mariage.

Françoise le regardait, penchée en avant, le coude appuyé sur le genou et le menton reposant sur sa main. C'était son attitude habituelle quand elle rêvait.

« Lui écrit-il? Tous les jours? Un Quesnay

peut-il être romanesque? Pourquoi ai-je en ce moment l'impression d'être frustrée? Antoine n'aime que moi. Le seul mal est que je m'ennuie.... " Mais je suis désolée, dit-elle tout haut, je comptais sur vous pour m'amener une compagne de harem. Vous savez qu'il y a ici toute une conspiration pour vous faire épouser votre cousine Lecourbe....

— Yvonne? Mais c'est une petite fille, n'est-ce pas? Je ne l'ai pas vue depuis des années. Elle était toujours en pension quand je venais en permission. Mon dernier souvenir d'elle est de l'avoir balancée dans le jardin des Lecourbe. Elle était très lourde.

— Ce n'est pas une petite fille. Elle a dix-neuf ans et elle est très remarquable. Elle sait des choses difficiles, elle est bachelière, elle prépare sa licence d'anglais. En ce moment, elle est à Oxford.... C'est curieux, n'est-ce pas? Les deux enfants Lecourbe sont intelligents. Roger aussi fait des études étonnantes.

— Mais, dit Bernard, après tout, ce sont des demi-Quesnay.... Et comment est-elle? Jolie? Laide?

— C'est difficile à dire, elle a de jolis traits, mais elle est très " forte ". Elle est terriblement sportive, vous savez; je crois qu'elle développe trop certains muscles. Intellectuellement, elle a une autorité qui m'épouvante.

— Quel portrait! dit-il en riant. Et on me la destine?

Antoine entra. Il avait les mains noires de cambouis.

— Je vous demande pardon, dit-il, j'ai été jusqu'au garage. La voiture a très mal monté la côte ce soir, et j'ai voulu voir ça avec Charles.

— Et qu'est-ce que c'était? dit Bernard.

— L'arrivée d'essence se fait mal.

Ils discutèrent pendant quelque temps sur des questions de mélange d'air, puis Bernard prit congé.

Il avait été décidé la veille qu'il logerait chez M. Achille.

— Pas changé, Bernard, dit Antoine lorsqu'il fut seul avec sa femme. Quand il avait dix ans, pendant une grève, il demandait : “ Grand-père, si je vendais ma bicyclette, est-ce que vous pourriez leur donner ce qu'ils demandent? ”

— C'était très gentil, dit Françoise. Et qu'a répondu ton grand-père?

— Il l'a raconté pendant dix ans. Je n'ai jamais su si c'était par fierté ou par mépris.

— Je me demande, dit Françoise rêveuse, en commençant à se déshabiller, je me demande s'il se plaira ici, Bernard, après cette longue absence.

— Il faudra bien, dit Antoine en la regardant avec un peu d'inquiétude.

Avant de se coucher, il répara longuement le robinet d'eau chaude de la baignoire. Françoise lisait un roman et, de temps à autre, regardait l'heure.

VI

Grâce à la fermeté de Bernard, les dames épinceteuses furent augmentées; les dames rentrayeuses suivirent; les tisserands, dont les salaires plus élevés avaient irrité les autres corporations, réclamèrent à leur tour, car il importait de maintenir les distances et l'antique hiérarchie des métiers

La hausse des salaires entraîna une fois de plus celle des tissus. Bernard Quesnay fut chargé d'aller à Paris en informer les clients de la maison Quesnay et Lecourbe.

Des souvenirs anciens lui rendaient cette mission redoutable. Avant la guerre, les clients, êtres augustes dont on ne parlait qu'avec une terreur respectueuse, imposaient sans efforts leurs caprices cruels à des industriels divisés et toujours affamés de travail. Au moindre signe de rébellion un Quesnay se voyait menacé de Pascal Bouchet. Une diplomatie compliquée, des sacrifices, des prières étaient nécessaires alors pour apaiser ces maîtres farouches.

— Les temps ont changé, monsieur Bernard, dit le vieux M. Perruel, représentant des Quesnay à Paris.

En effet, M. Roch, de la maison Roch et Lozeron, que Bernard craignait plus que tout autre (il achetait chaque année plus du tiers de la production des Quesnay), le reçut avec une douceur toute nouvelle chez cet homme irascible. Le bureau de M. Roch était une sorte de cube en planches minces, à peine meublé, qui se cachait, avec une sorte de honte, derrière des piles de pièces montant jusqu'au plafond. Ce magasin avait été bâti pour loger des étoffes et le drap y affirmait avec force sa supériorité sur l'esprit.

— Mon cher Bernard, lui dit M. Roch (je puis bien vous appeler ainsi, j'étais assez lié avec votre pauvre père), mon cher Bernard, je ne vous marchande pas, je ne vous marchanderai jamais.... Mais je ne peux pas vous payer vos amazones plus de quinze francs....

— Nos ouvriers demandent de l'augmentation, monsieur Roch, nous devons satisfaire tout le monde....

— Non, mon cher Bernard, pas tout le monde....

Ne sacrifiez jamais les anciens amis. Ah! si votre pauvre père était encore de ce monde, je suis bien certain que j'aurais mes mille pièces à quinze francs! Je le vois encore, tenez, votre père.... Assis sur la chaise où vous êtes et vêtu de ce grand pardessus noir qui ne le quittait jamais.... Ah! il avait le sens des affaires, et ça, voyez-vous, on l'a ou ne l'a pas!... Allons, j'irai voir M. Achille à Pont-de-l'Eure et nous nous entendrons, je n'en doute pas, nous avons toujours fini par nous arranger, votre grand-père et moi.

M. Roch attristait beaucoup Bernard qui le sentait imperméable et puissant. Il sortait toujours de chez lui en soupirant.

M. Delandre, de la maison Delandre et Cie, décrivit la dictature des fabricants :

— Je téléphone chez Lapoutre, l'après-midi à trois heures, je demande le prix d'une petite diagonaline, on me fait 13 fr. 32. J'attends l'arrivée de mon associé, je lui demande : “ Faut-il en prendre? — Oui. ” Je retéléphone.... C'est 13 fr. 47.... Pourquoi? C'est comme ça!... Mais le pire des autocrates, c'est votre ami Pascal Bouchet. Il vous convoque pour le 23 juillet, à 9 h. 45 : on vous fait entrer dans un petit bureau; à 9 h. 45 précises, M. Bouchet entre. Si vous êtes en retard, il ne vous reçoit plus; si vous êtes exact, il vous dit : “ Monsieur, je vous ai attribué quarante-huit pièces à 29 francs. Voici une liasse : vous avez un quart d’heure pour choisir vos dessins. ” Un quart d’heure plus tard, il repasse, il faut être prêt. Voilà le commerce d’aujourd’hui, vous avouerez que c’est absurde!

M. Perruel le traîna ensuite chez Cavé frères, qui exportaient des tissus vers l’Algérie et la Tunisie.

— Le prix a peu d’importance; ce qu’il nous faut, monsieur Quesnay, dit M. Cavé l’aîné, c’est un drap lourd, gommé, qui puisse remplacer l’article que les Autrichiens vendaient là-bas, avant la guerre, pour burnous d’Arabe.

— Nous pourrions le faire, dit Bernard, mais en ce moment, nous avons tant de travail.

— Voilà! Toujours les mêmes! s’indigna M. Cavé, Je l’ai dit souvent à votre père : “ Chez vous, on ne sait que se regarder le nom- “ bril.... ”

— Mon Dieu, monsieur Cavé, peut-être serait-ce en effet ce que nous pourrions faire de mieux.... Les sages de l’Inde trouvaient à contempler le leur des joies assez vives, dit-on.

M. Perruel envoya un coup de coude à son patron. En sortant, il le chapitra :

— Monsieur Bernard, il faut tout de même

prendre les clients au sérieux. En ce moment, vous n'avez pas besoin d'eux, mais ça peut revenir. D'ailleurs, si mon âge m'autorise à vous donner un conseil, ne parlez pas tant. On parle toujours trop en affaires. Le premier vendeur de la place de Paris, c'est un Anglais. Il n'a jamais dit que "*Good morning*" et "*Good Bye*". Il arrive avec sa caisse : — *Good morning.* Il étale ses échantillons, lentement, devant le client. Quand on dit "non", il remballe. Quand on commande, il note. Il ne discute pas, il ne se défend pas. Il est très fort. Le plus drôle, c'est qu'il est de Montmartre et qu'il ne sait pas l'anglais. Autre chose : vous me demandez toujours de dire la vérité aux clients. Monsieur Bernard, les clients n'aiment pas la vérité!

— Hélas! Monsieur Perruel! Personne n'aime la vérité!...

— Les clients croient s'y connaître, monsieur Bernard, il faut leur laisser cette illusion.

Il l'entraîna vers des magasins plus nobles. La place des Victoires, la rue Étienne-Marcel, la rue Réaumur, la rue Vivienne, encadraient la vieille cité de l'aristocratie drapière.

Là, régnaient de nobles marchands et leurs fils athlétiques et prudents; aux plafonds de chêne, Bernard eût voulu peindre la Courtoisie et l'Amitié arrachant un sourire au Commerce. Ayant exploré tout le jour la Cité du Drap, vers le soir il se souvint qu'il avait promis à son oncle Lecourbe d'aller voir M. Jean Vanekem.

Les bureaux de ce grand homme étaient de style Directoire. Par une porte entrouverte, on apercevait d'autres bureaux, des dactylographes blondes, toutes jolies, et des machines à calculer, brillantes de vernis rouge et noir.

M. Vanekem, très jeune, cheveux brossés en arrière, d'une vivacité toute américaine, reçut ce Quesnay provincial avec un mélange de bonne grâce et de morgue.

— Vous m'accordez un instant? dit-il. C'est l'heure de ma réunion de chefs de service.

Il se mit à tourner rapidement la manette d'un petit téléphone intérieur, en donnant des ordres d'une voix brève.

— Monsieur Perrin, au conseil.... Monsieur Durand, au conseil.... Monsieur Chicard, au conseil.... Monsieur Meyer, au conseil....

Par les trois portes du bureau affluèrent des hommes en jaquette noire, déférents et luxueux.

— Statistique A, appela M. Vanekem. Hongrie?... — 2.000 mètres, monsieur. — Angleterre?... — 5.000 mètres, monsieur. — Roumanie?... Voyez-vous, dit-il à Bernard, je sais tous les jours exactement ce qui a été vendu dans la journée, ce qui me reste en stock dans les différents pays et le total de mes engagements chez les fabricants. Tout est mathématique.

« Oui, pensa Bernard avec admiration, voici le véritable homme d'affaires. Peut-être prendrais-je goût à ce métier si je ne devais l'exercer dans ce médiocre bureau de Pont-de-l'Eure où M. Desmares et M. Cantaert se querellent pour une clef anglaise. »

— Qui s'occupe, demanda M. Vanekem, du Banat de Temesvar?....

Quand le chœur des statisticiens eut abandonné la scène, Bernard exposa timidement la requête de M. Lecourbe, M. Vanekem sourit :

— Vous aider à trouver des capitaux pour monter une usine de produits de teinture? C'est un jeu d'enfant, cher monsieur!... Combien vous faut-il? Deux millions?... Ah! ça, c'est plus difficile.... Vous comprenez, un capital de deux millions, ça n'intéresse guère les banques.... Demandez-moi dix, vingt, trente millions, vous les aurez demain.... Mais deux!... Enfin je vais voir ce que je puis arranger.... Voulez-vous dîner avec moi, monsieur Quesnay? Nous reparlerons de votre affaire; je n'attends qu'une amie, Liliane Fontaine, une comédienne encore peu connue, mais qui a beaucoup de talent.

— Mais je la connais! dit Bernard. Elle est venue jouer *Hernani* chez nous. Je viendrai avec grand plaisir.

VII

Mlle Liliane Fontaine portait les cheveux tirés en arrière et parfaitement plats; elle avait de beaux yeux noirs, une gorge un peu maigre, un mouchoir jaune citron noué autour du poignet droit. Bernard lui dit l'avoir admirée, alors qu'elle jouait Dona Sol, en tournée, à Pont-de-l'Eure.

— Pont-de-l'Eure?... Je crois bien! L'hôtel du Chevreau d'Argent? Est-ce sale!... Et ce public de vieilles dames avec des berthes de vraie dentelle, des médaillons, des robes violettes et des capotes de coucou.... Au poulailler, des ouvriers qui se tordaient de rire....

— Il est certain, dit Bernard, que le public de Pont-de-l'Eure est peu romantique.... Mais il vous trouvait excellente.... C'est votre partenaire qui les faisait rire....

— Qui était-ce donc? Ah! oui, Ponroy... ce

vieux qui a été à l'Odéon. C'est vrai qu'il joue coco et faux.... Et il postillonne! Imaginez comme c'est agréable d'avoir à combiner : " Vous êtes mon lion superbe et généreux " avec : " Comme je voudrais que tu ne me craches pas dans la figure!... " Ponroy est un de ces types d'autrefois qui prennent des temps interminables et qui font un sort à chaque phrase. C'est terrible. J'ai joué *le Cid* avec lui dans don Diègue. Il me laissait une heure à ses pieds; on ne sait que faire.

Bernard aimait ce bavardage d'actrice. En l'écoutant, il lui semblait que le battement des métiers qui bourdonnait encore dans sa tête, s'estompait jusqu'à n'être plus qu'un sourd bruissement de violons étouffés. M. Achille, silencieux et brutal, M. Lecourbe, solennel et pédant, M. Cantaert et M. Desmares, frères ennemis, toutes ces figures qui flottaient si vivement colorées dans ses rêveries mélancoliques, s'effaçaient, devenaient les personnages lointains de quelques *Scènes de la vie de province*.

— Tiens, dit Mlle Fontaine, voilà Sorel.... Là-bas, dans le coin, l'infant d'Espagne avec ses deux vieilles dames.... Et Suzanne Caruel avec son Grec.

Bernard regarda autour de lui. A la table de droite deux couples, parlant très fort, cherchaient à s'étonner l'un l'autre et se jetaient à la tête des Rolls, des Delage, des Monet, des Corot. A la table de gauche, deux hommes seuls bâtissaient une affaire : " Suivez-moi bien, mon cher, la couronne hongroise vaut trois centimes. Je puis obtenir pour dix millions de couronnes la concession d'une maison de jeux au lac Balaton. On peut attirer là-bas.... "

— Et notre affaire? dit M. Vanekem à Bernard.... J'y ai réfléchi. Il n'y a, au fond, aucune raison pour limiter le capital à deux millions....

— C'est que, dit Bernard, nous n'avons guère d'argent disponible.... La laine est si chère....

— Comment? dit M. Vanekem surpris. Aviez-vous l'intention d'y mettre de l'argent à vous? Ne faites jamais cela, mon cher.... Non, faites une petite société au capital de six millions, dont trois en actions d'apport, que vous partagerez avec moi. Le public souscrira le reste.... Tenez, moi, quand j'ai monté mon affaire d'importation de noix de coco, j'ai fait un capital de dix millions; je n'avais ni bateaux, ni plantations.... Cela s'est très bien passé.

Bernard, rêveur, admira le génie poétique de M. Vanekem qui, de plantations idéales et de cocotiers chimériques, savait tirer des colliers réels pour le cou gracieux de Mlle Fontaine.

L'orchestre joua le *Relicario*; entre les tables, des couples dansèrent, joue contre joue. Une femme très belle, à demi pâmée, effleura des effilés de jais de sa robe tourbillonnante un verre de cristal qui sonna doucement. Dans le rythme monotone des violons, Bernard obsédé crut entendre le battement des métiers lointains et comme un mélancolique appel. La musique l'attristait toujours, en lui donnant le sentiment vif de la fuite du temps. Le cynisme triste des êtres qui l'entouraient choquait son puritanisme ancestral de Quesnay.

M. Vanekem, qui connaissait les deux hommes de la table de gauche, s'était penché vers eux et avait commencé une conversation professionnelle. Bernard se tourna vers le charmant visage de Mlle Fontaine.

— Ne trouvez-vous pas, lui dit-il, que la musique, et même la plus vulgaire, inspire toujours le désir de la solitude?... Que cette vie est artificielle! N'aimeriez-vous pas vivre dans quelque île lointaine, à Fidji, à Tahiti, où les machines seraient inconnues, l'argent sans pouvoir, mais où des sauvages, heureux et nus, danseraient dans un divin climat tropical?

— « Mon enfant, ma sœur, songe à la douceur d'aller là-bas vivre ensemble.... » Cela se chante aussi.

— Vous vous moquez de moi? Dès que je me trouve, comme en ce moment, au milieu de femmes élégantes, de lumières à facettes, d'hommes trop bien nourris, je goûte aussitôt " ce quelque chose d'amer qui s'élève des plaisirs.... " J'ai vu trop de malheureux.

— Vous êtes bolchevik? dit-elle.

— Ah! non, protesta Bernard avec vigueur. J'ai le loyalisme de classe le plus vif; mon idéal, c'est le Sénat romain des origines, ou certains conservateurs anglais qui ont le sentiment très fort de leurs devoirs.... Mais je suis ridicule et je vous ennuie.

— Ah! non, dit-elle, mais une seule chose existe vraiment pour moi, c'est le théâtre. Le reste....

A ce moment, les beaux yeux noirs de Mlle Fontaine s'animèrent :

— Regardez, ce gosse qui entre, dit-elle à Bernard, n'est-ce pas qu'il est joli? Tout à fait Chérubin. Je voudrais lui faire jouer *Le Mariage* avec moi en tournée, cet été. Mais l'enfant ne veut rien savoir. Son rêve, c'est *Polyeucte*. C'est à se crever de rire.

— Un cigare! offrit M. Vanekem. Figurez-vous que j'ai trouvé aux stocks américains des Laranagas épatants....

VIII

Une visite de M. Roch à Pont-de-l'Eure était réglée suivant un rituel invariable et méticuleux. A dix heures, la victoria de M. Achille (il n'avait jamais pu se décider à remplacer son vieux cocher par un chauffeur) allait à la gare. Quand la voiture s'arrêtait devant la porte, M. Achille prenait un air indifférent et contemplait avec attention une pile de pièces mal équilibrée.

— Tiens, tiens, monsieur Roch, disait-il du même ton que s'il avait attendu ce jour-là vingt personnages de même importance.

— Toujours jeune, monsieur Achille, disait M. Roch, avec une bonne humeur artificielle.

Le visiteur s'asseyait d'un côté d'une table, M. Achille de l'autre, et ils parlaient du passé, de leur jeunesse, pendant un temps qui, d'après les observations d'Antoine, homme précis, variait entre vingt-cinq et trente-cinq minutes. Les mêmes anecdotes défilaient, plusieurs fois par an. Quand Bernard avait assisté pour la première fois à ce spectacle, il s'était étonné qu'un homme aussi avare de ses paroles et de son temps qu'était son grand-père perdît les unes et l'autre en des conversations d'autant plus inutiles qu'elles étaient toujours identiques. A l'examen, il s'était aperçu qu'elles jouaient le même rôle que les passes de la muleta sous les yeux du taureau sorti frais du toril; elles avaient pour but d'étonner, de fatiguer l'animal et de retarder le combat. M. Roch n'avait pas de train avant quatre heures de l'après-midi. Sa décision ne serait prise que cinq minutes avant le départ. Il fallait éviter d'engager le fer.

Environ une demi-heure après l'arrivée, M. Lecourbe avait ordre de faire son entrée. Son emploi était à la fois celui du cheval de picador, malheureuse bête destinée à être vaincue, et de l'Auguste du cirque, qui crée par le comique de ses mouvements une atmosphère gaie et sympathique. M. Roch trouvait grand plaisir à faire démontrer par lui, au nom des économistes les plus distingués, des thèses contradictoires.

Dès que le picador au ventre crevé battait en retraite, M. Achille faisait signe aux poseurs de banderilles. Antoine et son frère étaient chargés de cette opération. Ils devaient promener M. Roch dans l'usine.

— Mon petit-fils, disait M. Achille, voudrait vous montrer une machine nouvelle.

— Oui, disait Antoine, votre avis me sera précieux, monsieur Roch.

— Mon ami, disait M. Roch, je dois bien cela à votre pauvre père.... Ah! je le vois toujours, celui-là... avec son grand pardessus noir....

Antoine le ramenait une heure plus tard, fourbu, dégoûté, pour un an, d'engrenages, de cames et d'excentriques, presque à point pour l'estocade.

Le déjeuner était servi chez M. Achille et toujours excellent. On n'y faisait jamais allusion à l'objet réel de la journée. Françoise était là, ce qui rendait impossible une attaque par surprise. Elle commençait par faire de grands efforts pour être aimable, puis s'énervait. Elle était insensible à ce que Bernard appelait " le côté Balzac " de M. Roch qui, ancien voyageur, devenu chef de maison vers la cinquantaine par la mort subite de ses deux patrons, manquait de culture, mais non de finesse. Aussitôt le déjeuner terminé, elle se libérait de toute contrainte.

— J'ai fait ce que vous m'aviez dit, Bernard, j'ai relu *Anna Karénine;* je comprends très bien, moi, le suicide d'Anna. Si Wronsky avait été très cruel au lieu d'être bon, elle ne se serait pas tuée.

— Vous parlez de théâtre? disait M. Roch. Moi, je n'aime pas les pièces de maintenant, mais je vais volontiers à la Comédie-Française voir l'*Ami Fritz* ou *Monsieur Poirier*. Ce n'est pas folichon comme le Palais-Royal, mais cela fait réfléchir et c'est beau.

Françoise devenait téméraire.

— Bernard, *let's walk round the garden. He is too boring. I can't stand it.*

— *Be careful. He might speak English.*

— *Certainly not. Just look at him*[1].

Antoine, du regard, suppliait sa femme d'être calme. M. Achille, sans comprendre, devinait un danger, maudissait intérieurement les Pascal-Bouchet et proposait de revenir à pied à l'usine.

Les deux vieillards marchaient devant, soufflant un peu. Antoine et Bernard suivaient, et admiraient les roseaux qui enroulaient aux courbes de la rivière leur masse onduleuse et touffue. Antoine pensait que, fiancé, il s'était promené là avec Françoise. Cette année-là, elle avait une robe de tus-

1. — Bernard, allons faire le tour du jardin. Il est trop ennuyeux.

— Faites attention, il comprend peut-être l'anglais.

— Jamais de la vie. Il n'y a qu'à le regarder.

sor, avec un col de foulard bleu à pois blancs. Comme elle lui avait plu.... Elle lui plaisait autant, mais quelle étrange pudeur l'empêchait de le lui répéter? Souvent, il désapprouvait ses actions, ses paroles, et cela non plus il n'osait pas le lui dire. Pourquoi avait-elle pris cette attitude pendant le déjeuner? Le matin même, il l'avait priée de se contenir. Elle était dangereuse. Il l'aimait.

M. Achille continuait à refuser le fer jusqu'au moment où le roulement de la victoria annonçait que l'heure du train approchait. Alors, il lâchait brusquement le " dernier prix " qu'il tenait en réserve depuis le matin et M. Roch, agréablement surpris, tirait de sa poche un carnet d'ordres. Bernard le ramenait à la gare et revenait en méditant assez tristement sur la médiocrité de cette journée.

" Quelle comédie! pensait-il. Est-elle nécessaire? On devrait diriger une usine comme on commande un régiment, sans ruses, sans humilité. Pourquoi ne pas tout faire au grand jour? Tout cela pourrait être si simple et même si beau. Quel besoin avons-nous d'un Roch?... Françoise était nerveuse. C'est naturel.... Si je pouvais décider Simone à m'épouser, comment supporterait-elle Pont-de-l'Eure? "

Sans savoir pourquoi, il revit les petites mules

violettes qu'elle portait le soir, pendant le seul voyage qu'ils eussent fait ensemble. Avant de se coucher, elle les plaçait devant le lit, accolées et sages, comme dans la *Sainte Ursule* de Carpaccio.

“ Les mules de Simone sous le toit de M. Achille.... Non, ce n'est pas possible. C'est dommage. ”

Il pensa à des manies de langage qu'elle avait. Elle employait “ authentique ” pour dire “ sincère ” et c'était d'elle qu'il avait pris l'habitude de dire “ le côté ”. Elle aurait parlé, par exemple, du “ côté Louis XVI ” d'Antoine et du “ côté Marie-Antoinette ” de Françoise. Une autre de ses manies était de parler musique en langage d'atelier et peinture en langage musical. Elle employait “ cadence ”, “ sonorité ”, pour décrire un paysage. Tout cela plaisait parfaitement à Bernard. La voiture s'arrêta. On était devant l'usine.

— Il avait l'air content? demanda M. Achille.

IX

Appelé à Paris par M. Vanekem, Bernard désira revoir Delamain. Il ne l'avait pas prévenu, mais le savait casanier. Une voiture qui sentait le drap moisi l'emmena vers Montsouris. Un petit escalier étroit montait, de piano en piano. Il sonna, avec une grande crainte de ne pas trouver son ami.

Mais après une minute, il entendit des pas. Delamain lui-même ouvrit la porte et ne parut pas surpris de le voir.

— Tiens, c'est toi! Je suis content.... Entre.

— Je ne te dérange pas?

— Je travaille, mais peu importe.

La petite chambre où écrivait Delamain parut à Bernard Quesnay un asile enviable, un rêve interdit. Debout, appuyé à la cheminée, il regarda son ami avec plaisir. Tous deux souriaient pour exprimer une bonne volonté que les mots eussent trahie. Bernard admira les feuillets couverts d'une écriture ferme. Sachant que Delamain n'aimait pas les conversations de broutilles, il lui parla de son travail.

— Qu'est-ce que tu fais, en ce moment? J'ai vu ton article sur Sainte-Beuve. C'est très bien.... As-tu lu ce Proust dont on parle maintenant?... Moi, j'aime beaucoup ça.

— Oui, dit Delamain, c'est une lecture saine.... La jalousie, par exemple, qu'en reste-t-il après Swann? Une curiosité maladive, sans amour.... Et comme c'est vrai!

— Tu vois toujours Denise?

Delamain inclina la tête.

— Et toi? dit-il, que fais-tu dans ta province? Tes usines sont à Pont-de-l'Eure, n'est-ce pas? Tes affaires marchent-elles?

— Elles marchent très bien, mais cela m'est égal.... Mon grand-père travaille depuis cinquante ans; quel bonheur en a-t-il? Je n'aime pas ce métier, Delamain. Mes ouvriers, avec lesquels je m'efforce d'être juste, se méfient de moi, et c'est naturel. Pour l'État, pour le fonctionnaire, l'industriel est un parasite qui gagne une fortune par le travail des autres. Ses difficultés, personne ne les voit. Son rôle, personne ne le comprend. Toi-même, je suis sûr.... C'est insupportable. Et puis, tu ne sais pas ce que sont les affaires. Il est très difficile, presque impossible d'y soutenir un caractère rigide....

— Exemple? dit Delamain brièvement.

— Eh bien, par exemple, un client te demande ton dernier prix; tu le lui fais honnêtement.... Crois-tu qu'il apprécie ta bonne foi et renonce à marchander? Pas du tout. Il admet *a priori* que tu le trompes. Que dis-je? Il est furieux si tu tiens sur ta position. Ces choses m'exaspèrent.

Delamain haussa légèrement les épaules.

— Il me semble, dit-il, que tu te tourmentes pour rien. Toutes les relations humaines sont régies par des conventions. Si c'en est une en affaires que le " dernier prix " est en réalité " l'avant-dernier ", il n'y a qu'à l'accepter. Tu fais une crise de scrupules, Quesnay, les confesseurs n'aiment pas ça.

Bernard ouvrit les mains en signe d'impuissance, puis, montrant les feuilles étalées, dit :

— Quel sera le sujet de ton livre?

— Oh! assez aride.... La résurrection de la liberté. Je décrirai la génération qui nous a précédés, écrasée sous un fatalisme trop lourd; terrifiée par Darwin, mystificateur génial; exaltée par Marx, autre fumiste. Et j'espère montrer que ces " lois d'airain " ne sont que des hallucinations qui se dissipent si on le veut avec force.... Je ne sais pas si tu vois très bien.... En somme je voudrais montrer que liberté et déterminisme sont vrais en même temps, ne sont pas contradictoires. Tu comprends?

— Oui, mais je ne crois pas que tu aies raison.... Moi, justement, mon sentiment présent, c'est d'être écrasé par un mécanisme plus fort que moi. Cette hausse puissante des cours, ces mouvements des salaires, cette richesse qui force nos coffres-forts, quelle influence puis-je avoir sur tout cela? C'est la marée montante, c'est le raz de marée.... Que peut un nageur?... Et un mauvais nageur? D'autre part, m'en aller, quitter l'usine pour faire ce qui me plaît, alors que toute ma fortune vient d'elle, cela me paraîtrait une lâcheté.... Tu ne trouves pas?

Delamain remit une bûche dans le feu, puis la souleva avec des pincettes pour attiser la flamme.

— Je te le répète, dit-il, il me semble que tu mêles à tout cela trop de soucis moraux. Dans l'action, il faut suivre la coutume. L'individu ne peut pas tout remettre en question. Et puis, es-tu sûr de ne pas transformer en préoccupations éthiques ce qui est au fond de l'orgueil? Il y a un trois-quarts de vertu qui consiste à se dire : " Je suis si vertueux que je ne peux pas exercer ma vertu dans les cadres de la Société. " Alors, on se tient à l'écart. C'est commode.

— Peut-être,... dit Bernard pensif. Tout est bien difficile.

— L'essentiel, dit Delamain, est de maintenir l'esprit libre. N'as-tu pas une amourette qui te fasse oublier Pont-de-l'Eure?

— Au contraire, dit Bernard, j'ai un amour qui me fait haïr Pont-de-l'Eure. Tu ne te souviens pas de Simone Beix?

— Cette jolie femme qu'on voyait à Châlons en mars 18? La femme du lieutenant de la Régulatrice?... Ah! oui, elle était ravissante. Elle ressemblait à la fois aux anges de Reynolds et à cette délicieuse ballerine russe, tu sais, Lydia Lopokova. C'est vrai que tu lui plaisais. Tu la revois? Tu l'aimes?

— Je ne sais pas, dit Bernard parlant soudain très vite. Je la trouve très jolie, naturellement, et elle est intelligente, d'une intelligence un peu snob. Elle est très Nouvelle Revue Française, comme toi, même plus avancée, et en musique, très Groupe des Six, mais tout ça avec beaucoup de grâce. Elle peint, et j'aime sa peinture qui est extrêmement simple et juste.

— Et le lieutenant Beix, en temps de paix, que fait-il?

— Il est banquier, une grande banque d'affaires, mais sa femme se s'entend pas avec lui.

— Et toi? Tu ne m'as pas répondu. Tu l'aimes?

— Qu'est-ce que ça veut dire, aimer? Tu le sais, toi? Mon plus grand plaisir est d'être avec elle, mais je ne dois pas l'aimer assez puisque je n'ai pas le courage de lui consacrer ma vie, de vivre à Paris. Et pourtant je sens bien que je la perdrai si je continue à la voir aussi peu.

— Mais est-ce que tu pourrais quitter l'usine?

— Si je pourrais?... Évidemment je pourrais. Je n'ai qu'à dire : " Je m'en vais. " Aucune loi au monde ne peut me forcer à vivre à Pont-de-l'Eure. Je suis jeune, actif; je réussirais n'importe où.... Mais il me semble souvent que je suis dédoublé. Un moi dit : " L'essentiel, c'est que ces métiers tournent "; un autre moi répond : " Es-tu fou? Tu me fais perdre toute ma jeunesse. " Je sais que le second personnage exprime plus vraiment ma pensée et, en fait, j'obéis au premier. C'est curieux, n'est-ce pas?

— Et là-bas, dit Delamain, à Pont-de-l'Eure? Rien?

Bernard secoua la tête :

— Rien.... J'ai une belle-sœur charmante, mais c'est ma belle-sœur.... Non. Rien.

— Et le mariage?

— Toutes les jeunes filles m'ennuient.... Peux-tu m'expliquer pourquoi?

Il resta chez Delamain jusqu'à deux heures du matin et rentra à pied, par une belle nuit. Il y avait bien longtemps qu'il n'avait été aussi heureux.

X

La visite des pièces après le tissage était faite, chez Quesnay et Lecourbe, par le père Leroy, visiteur redoutable aux ouvriers négligents. M. Achille, dans sa jeunesse, l'avait dressé comme il savait le faire.

— Ah! monsieur Bernard! disait-il, encore des traînées d'huile de graissage! J'ai prévenu vingt fois le contremaître, mais ces jeunes gens d'aujourd'hui, c'est tout nonchalant, ça ne s'occupe que de sa bricole, et encore. Moi, je dis : " Quand on fait une chose, il faut la faire. "

Ce Leroy commençait une vieillesse heureuse quand il commit l'imprudence de " causer " avec une jolie fille qui travaillait sous ses ordres et convoitait ses économies. " Causer ", mot scandaleux et énergique dans la langue de Pont-de-l'Eure où " J'y parle mais j'y cause point " signifie " Nous sommes amis, rien de plus ". Le père Leroy parlait et « causait » avec son assistante. Il était honnête homme ; elle obtint le mariage.

Sa femme porta des bas de soie et le trompa cyniquement. Mal marié, mal nourri, mal soigné, le vieux but pour se consoler. Il devint sale et misérable.

Un matin, les deux visiteuses qui travaillaient avec lui virent cet homme si sobre arriver au travail tout à fait ivre. La veille, il avait trouvé sa maison vide ; sa femme était partie avec un maçon en emportant l'armoire à glace. Il mit avec soin sa souquenille blanche, épousseta ses espadrilles, les chaussa et, montant brusquement au sommet du tas de pièces préparées pour sa visite, il tira de son tricot un vieux pistolet légué par un oncle soldat et annonça aux deux femmes :

— J' vas m' faire sauter la margoulette.

— Jésus ! crièrent-elles en se bouchant les oreilles. Faites point ça, père Leroy, faites point ça !

— Si, dit-il, ma femme m'a quitté et j' veux point qu'elle ait le dernier mot. Elle lira ça sur le journal, et ça lui fera tourner les sangs.... J' vas m' faire sauter la margoulette.

— Ça n'a pas de bon sens, père Leroy.... J'allons chercher monsieur Bernard.

Pistolet en main, par discipline, il attendit le

patron. Mais comme on ne trouvait pas Bernard, à sa place vint le mécanicien Cazier, le plus vieil ami du bonhomme.

— Tâchez moyen d'avoir son revolver! lui crièrent les femmes.

— Taisez-vous.... Faut le prendre par la douceur.... Un homme saoul, si on le contrarie, il est capable de se détruire.... Écoute voir un peu.... Les femmes, c'est pourtant pas ça qui manque. Moi, quand je suis revenu de la guerre, on m'a dit que la mienne s'était barrée.... Au premier moment, ça m'a fait quelque chose. Mais quand j'ai été au tribunal et que j'ai vu qu'on était là plus d'une douzaine pour le même truc, on s'est regardé et on a rigolé.... Fais comme moi, il te reste les copains.

— Non, non, dit le bonhomme; ma femme est une garce! j' vas m' faire sauter la margoulette!

Mais, comme il cherchait la détente d'un doigt un peu tremblant, arrivèrent au pas de course M. Cantaert et Langlois, secrétaire du Syndicat ouvrier. Le secrétaire, de sa belle voix pathétique, fit appel au vieux militant, qui ne pouvait ainsi lâcher les camarades. Le directeur, homme du Nord et très religieux, parla du suicide avec horreur. Le bonhomme les écouta. Il secoua la tête et leva encore son pistolet. En vain le grand Cazier essaya de tourner la position. L'ivrogne le vit venir et le menaça de son arme. A ce moment Bernard entra enfin.

— Comment, Leroy? Vous voulez vous tuer? Et que deviendrons-nous sans vous? Qui visitera vos pièces? Tout cela pour une femme qui n'est pas digne de vous passer votre blouse....

— Monsieur Bernard, ça m' fait de la peine de vous quitter comme ça.... Ça m' fait de la peine, surtout que je sais bien que vous ne pourrez pas me remplacer. Les jeunes gens d'aujourd'hui, c'est tout nonchalant. Mais j'ai dit à c'te garce que je me tuerais. J' veux pas qu'elle ait le dernier mot.... J' vas m' faire sauter la margoulette.

M. Achille qui faisait sa tournée, vint à passer. On le mit au courant.

— Qu'est-ce que c'est que cette histoire? dit-il sévèrement. Je te défends bien de te brûler la cervelle ici.... Tu me ferais des taches sur mes pièces.

Alors le père Leroy descendit de son perchoir et on le désarma facilement.

Bernard raconta cette histoire à Delamain qui en fut enchanté.

— C'est un symbole étonnant de ta propre existence, dit-il.

— Pas tout à fait exact, dit Bernard.

Mais il resta longtemps pensif.

XI

Simone Beix avait loué pour trois mois, en plein pays basque, et dans un village encore intact, une vieille maison aux balcons de bois sculpté. Son mari, qui aimait les salles de jeu, s'était vite lassé de cette solitude. Bernard Quesnay, au début de septembre, s'était installé pour dix jours à l'auberge.

Tous les matins, à onze heures, il allait chercher sa maîtresse chez elle. La mer n'était pas loin. Simone, en maillot court, faisait cuire au soleil son corps mince qui prenait de beaux tons de poterie étrusque. Couché près d'elle, dans le sable, Bernard, à demi nu et brûlant lui aussi, oubliait tout, hors la douceur de caresser, sous l'ombrelle chinoise, un petit sein dur. Vers midi, ils se jetaient à l'eau. Bernard nageait bien ; Simone avait plus de style. Ils déjeunaient au bord des rochers rouges, dans une hôtellerie noire et ocre aux larges toits dissymétriques, puis Simone cherchait un coin à peindre et Bernard la regardait travailler. Quand ils rentraient, les chars attelés de bœufs revenaient doucement vers les fermes; les ombres allongées modelaient plus fortement les courbes grasses des collines.

Pendant trois jours, Bernard fut heureux. Le quatrième matin, il se leva, éprouvant un sentiment d'impatience et d'anxiété.

A huit heures, le facteur en béret lui remit une lettre d'Antoine : “ *Nous n'avons pas de chance, mon pauvre vieux; il suffit que tu sois parti pour que nous ayons des ennuis. C'est toujours à propos de la vie chère. Plusieurs ateliers sont venus hier protester contre les nouveaux salaires. En passant dans les salles je ne vois plus que des visages mécontents. Desmares me dit que des braves types comme Heurtematte se sont plaints à lui avec violence. Le pire est que j'avais promis à Françoise de partir avec elle pour le week-end et que ce n'est plus possible. Avec ces menaces de grève à l'horizon, grand-père ne veut rien savoir et la pauvre Françoise est très désappointée. Quelle saleté de vie! Surtout n'abrège pas tes vacances, mais nous serons contents de te voir revenir.* ”

Il mit la lettre dans sa poche et se promena de long en large sur la route entre l'auberge et le fronton du village. “ Je tourne comme un fauve en cage ”, se dit-il. Mais quel ennui d’être loin. Peut-être en parlant à Heurtematte, à Ricard, aurait-il pu créer un mouvement d’opinion. On l’écoutait plus volontiers qu’Antoine. Il n’y avait pas de raison, c’était ainsi.... Que faire à distance? S’asseoir sur une plage aux pieds d’une femme.... Il regarda avec ennui le joli paysage basque, tout en ballons verts. Il eut l’impression d’avoir dans l’esprit comme un ressort comprimé qui cherchait vainement à se détendre. Il s’étira, bâilla et regarda sa montre; il n’était que dix heures.

Quand il put sonner chez Simone et qu’elle descendit, il se sentit plus content de lui. Elle portait une robe d’organdi rose avec un petit col quaker blanc, des poignets blancs, une ceinture de cuir blanc : “ Mais comme elle est jolie, pensa Bernard vaincu, et avec quelque chose de si net, de si fort.... ”

Il alla sortir du garage la petite voiture. A manœuvrer les changements de vitesse silencieux, bien graissés, il prit un plaisir méthodique et vif.

Dès qu’il fut étendu dans le sable chaud, il se remit à penser à l’usine : “ C’est curieux; je retrouve des sentiments de guerre : on était en permission à Paris; on sortait d’une soirée agréable, on achetait le journal, on lisait dans le communiqué que le secteur était devenu mauvais, et la soirée était empoisonnée.... Ce qu'il faudrait, c'est avoir une conversation avec Langlois, leur secrétaire.... On lui prouverait.... Oui.... ", dit-il tout haut, distraitement, en réponse à une question de Simone qu'il n'avait pas entendue.

Elle le regarda avec surprise.

Après déjeuner, pendant qu'elle peignait, Bernard très silencieux sembla longtemps plongé dans une rêverie, puis il se leva, vint voir ce qu'elle faisait, s'éloigna de quelques pas, revint.

— Qu'est-ce que tu as? dit-elle.

— Moi? Mais rien.

— Mais si. Que tu es nerveux aujourd'hui! Tu as reçu une lettre de ton frère? Il y a quelque chose de pourri dans le royaume de Pont-de-l'Eure?

— Oui, c'est vrai. Comme tu me connais bien!

— Tu es si transparent, mon chéri; tu es, de tous les êtres que je connais, celui qui sait le moins cacher son ennui. C'est sympathique, d'ailleurs. C'est ton côté enfant.... Alors, qu'est-ce qu'ils veulent? Ils te réclament?

— Non, pas du tout, mais ils ont des difficultés et je me demande jusqu'à quel point j'ai le droit....

— Ah! Tu es terrible, dit-elle avec un peu de

passion.... Mais oui, terrible, je t'assure.... Tu te demandes si tu as le droit de passer dix jours avec ta maîtresse. C'est presque incroyable, tu sais.

— Mais non, dit Bernard, tous les hommes en sont là. Ton mari aussi est très occupé.

— Mon mari, je ne l'aime pas, ça m'est égal.... Et puis il ne s'agit pas de ça. J'admets très bien qu'un homme soit occupé.... Au contraire, j'admire ça.... Mais j'ai besoin de sentir que moi aussi je tiens une place dans ton esprit. Avec toi je sais que l'événement le plus insignifiant de ton usine a le pas sur l'événement le plus important de notre amour. C'est tout de même triste et humiliant.... Tiens : il m'est arrivé de te téléphoner à Pont-de-l'Eure. Ah! si tu pouvais entendre le ton exaspéré sur lequel tu me réponds, parce que tu as peur de choquer ton grand-père, ou l'employé qui est debout à côté de toi.... La honte que tu as d'être tendre... c'est cela que je te reproche, comprends-tu?

— Je comprends, dit-il surpris, mais je crois que tu te trompes. Tu fais de moi un portrait ridicule et inexact. Ce que tu dis, je me le dis aussi et mon usine m'ennuie très souvent.

— Mais non, mon chéri; tu crois ça.... Ce que tu fais ne t'ennuie jamais pourvu que tu puisses agir, donner des ordres, enfin te croire utile. Pendant la guerre, tous tes camarades me disaient que tu étais un officier modèle. Maintenant tu veux être un patron modèle. Tu as un côté " Simon le Pathétique ", un côté bon élève, tu es " honnête ", ce n'est pas un crime, seulement c'est ennuyeux.... Ou alors, je voudrais que tu aies la même conscience lorsqu'il s'agit de notre amour.

— Mais en amour je n'ai pas besoin de conscience. Je t'aime naturellement, sans effort.

Elle mit ses pinceaux de côté, se leva et vint s'asseoir aux pieds de Bernard, dans l'herbe.

— On ne réussit rien sans effort, dit-elle. Moi, j'essaie de faire de chaque moment de ma vie un petit chef-d'œuvre. Je veux que la rencontre du matin soit jolie, que ma robe aille avec le temps et l'heure, que la dernière phrase qu'on dit le soir fasse bonne " fin d'acte ", " rideau ". Et j'en veux au partenaire qui gâte mes effets.... J'ai toujours été comme ça.... Je me souviens que quand j'avais quinze ans (j'étais très jolie, à quinze ans), j'avais un petit cousin qui était amoureux de moi. Un soir, par une nuit admirable, sur le balcon de ses parents, boulevard Maillot, il m'a dit qu'il m'aimait. Les arbres du Bois tremblaient au clair de lune. C'était très bien.... Alors j'ai pensé : " Il faut, pour que tout soit parfait, qu'il m'envoie demain matin des roses blanches. " Et comme je savais qu'il ne le ferait pas je le lui ai dit.... Quand elles sont arrivées, elles m'ont fait autant de plaisir que si je ne les avais pas commandées moi-même.... Avec toi, mon chéri, les roses ne viennent jamais.

— Dis-le-moi.

— Justement, je te le dis. Ce séjour à Cambo.... C'est la première fois que je passe dix jours avec toi. Je suis très, très ambitieuse. Je veux que ce soit (transposé en moderne, naturellement) aussi beau que les grandes rencontres romantiques.... Mais oui, c'est possible.... Seulement, il faut que tu m'aides. Oublie tes métiers, tes clients, ton grand-père pendant dix jours.... Enfin, dis-moi que ça n'est rien, dix jours d'une femme comme moi qui s'efforce de te plaire.... Allons, dites quelque chose!

— Tu me dis " vous" tout d'un coup? Tu es fâchée?

— Oh! non, seulement j'aime bien alterner, il ne faut pas user le tutoiement, c'est si agréable quand ça reste sensible.

Elle appuya son menton sur sa main et murmura :

— " Le doux tutoiement, doux comme un pied nu.... "

— Qui a dit ça?

— Paul Drouot, bien sûr.... Vous ne le connaissez pas? Oh! il faut que vous lisiez *Eurydice*, Bernard, c'est admirable. Tenez, voilà un homme qui était un vrai amant.

— Pourquoi me dites-vous ça d'un air de défi? Je ne suis pas un vrai amant, moi?

Elle le regarda un instant avec mélancolie. A leur gauche, il y avait une sorte de lande couverte de fougères et de bruyères, à leur droite un petit bois de chênes bas et fourchus.

XII

Bernard n'abrégea pas ses vacances. M. Achille le reçut froidement. Les salaires furent augmentés, la paix rétablie dans la vallée. La trêve dura deux mois, puis madame Petitseigneur et madame Quimouche, mieux payées, virent au marché de Pont-de-l'Eure les œufs et le beurre monter, comme si des tuyaux mystérieux avaient fait communiquer, pour y maintenir un niveau unique, le porte-monnaie de ces dames et leur marmite.

Dans son bureau Bernard revit le chœur navré des Suppliantes.

— On n' peut plus, monsieur Bernard, on n' peut plus... Faut que vous nous redonniez un p'tit quèque chose.

— C'est de la folie, dit M. Achille.

— Loi de l'offre et de la demande, dit M. Lecourbe.

Mais le syndicat patronal accorda, une fois de

plus, ce qu'on lui demandait. Les industriels vivaient heureux dans un absurde paradis, dans une folle prospérité. Plus les produits montaient à grande allure, plus la foule moutonnière les poursuivait.

— De mon temps, grognait M. Achille.

Il était mécontent de ses petits-fils. Françoise avait tant supplié son mari de la faire sortir de Pont-de-l'Eure qu'il avait fini, bien à contrecœur, par l'emmener au Maroc. Il avait donné comme prétexte un voyage d'études sur les laines. Il avait passé trois semaines à Rabat, à Fez, à Marrakech, et en avait rapporté des draps mal tissés dont sa femme louait la grossièreté. Bernard allait beaucoup à Paris, mais devait y perdre son temps, car ses clients se plaignaient de ne jamais le voir.

— Vous ne vous occupez pas de votre affaire, disait M. Achille aux deux jeunes gens.

— Notre affaire marche toute seule, répondaient-ils.

— Vos pièces sont mal faites.

— Tout le monde les trouve bien.

— Vous payez vos ouvriers trop cher.

— Ce n'est pas leur avis.

Car les ouvriers, citoyens mécontents du paradis des fous, espéraient voir (par miracle sans doute et opération divine) monter sans fin les salaires et baisser les prix des objets fabriqués. Ils en venaient, sentiment nouveau dans cette sage Normandie, à haïr avec violence des patrons trop constamment heureux. La longue prospérité, qui les avait d'abord rapprochées par la nouveauté de ses bienfaits, avait fini par désunir les deux classes. Comme dans certains ménages trop heureux, une femme, énervée de calme, se prend à souhaiter la mort d'un mari trop résigné à ses caprices, ces compagnons auxquels on accordait tout, reprochaient à des chefs trop comblés une munificence qu'ils sentaient plus indifférente que généreuse.

Au syndicat ouvrier, le secrétaire Langlois, quarante-huitard et proudhonien, avait été remplacé par Renaudin, petit homme au visage dur qui parlait aux bourgeois avec sévérité et leur annonçait la fin prochaine de leur classe. L'application de la loi nouvelle des huit heures lui fournit le prétexte d'une lutte souhaitée.

M. Pascal Bouchet, au nom des patrons, offrit pour la journée diminuée d'un cinquième le maintien des salaires de dix heures. Renaudin déclara que cela ne suffisait pas.

— En voilà assez, lui dit M. Pascal Bouchet. Vous voulez travailler moins et gagner plus?... C'est insensé! Si vous cherchez un *casus belli*... vous l'aurez!

— Monsieur Pascal, dit Renaudin, faites bien attention à ce que vous allez dire.... Vous avez prononcé là une parole que je n'aime pas.... Les esprits sont très montés.

— Rien à faire, dit M. Bouchet. *Quod dixi... dixi*.... Tout au plus pourrais-je vous accorder une légère satisfaction si, en plus des huit heures de travail, les jours fériés étaient récupérés au tarif ordinaire....

— Qu'appelez-vous jours fériés? demanda Renaudin.

— Mais, dit M. Bouchet surpris, Noël, Pâques.

— Noël, c'était bon au temps de Jésus-Christ. Moi, je ne connais qu'un jour férié : le Premier Mai.

Un long grondement de mécontentement courut autour de la table patronale.

" *Quousque tandem*, Catilina... ", murmura M. Pascal.

Pourtant il céda encore sur la question des jours fériés. Mais il y avait ceci d'étrange dans ces négociations que les concessions successives ne rapprochaient pas de l'état de paix. Les deux partis, tout en la craignant, désiraient la guerre. Ils étaient, comme les peuples de l'Europe en août 1914, fatigués de leur propre modération. Tels des voyageurs en automobile, qui se voient conduits par un chauffeur ivre vers un accident certain, et, par point d'honneur, n'interviennent pas pour modérer sa vitesse, ainsi l'âpre volonté de Renaudin, la grandiloquence de M. Pascal, conduisaient deux troupeaux résignés vers un choc que tous deux redoutaient.

Au moment où tout semblait arrangé :

— Et les chauffeurs de chaudières? dit Renaudin. Ils exigent....

— Ah! non! cria Bernard Quesnay avec une force qui l'étonna lui-même.... Comment? Vous voyez que....

— Mais ne discutez donc pas, Bernard, dit M. Lecourbe.

Quand une longue période de sécheresse et de chaleur a accumulé dans l'air immobile une réserve trop grande d'énergie, il faut un orage. Aucun de ces industriels n'aurait pu dire au juste pourquoi l'on refusait enfin aux chauffeurs ce que l'on avait accordé avec tant de légèreté aux autres corporations. A la vérité, il n'y avait pas de raison, mais ces assauts successifs contre la patience des patrons avaient fini par lasser leurs nerfs. L'orage éclatait.

— Très bien, dit Renaudin de sa voix coupante.... Vos chauffeurs ne seront pas à l'usine demain matin.

— Qu'ils restent chez eux!

— Messieurs, au revoir! Vous y viendrez!

Puis, quand les ouvriers furent sortis :

— Eh bien! dit M. Pascal, nous arrêterons demain, voilà tout....

Bernard Quesnay l'interrompit, vibrant, amer :

— Arrêtez une usine de mille ouvriers pour quatre chauffeurs? Quelle idée, monsieur Pascal.... S'il le faut, je chaufferai plutôt moi-même.

— Je voudrais vous y voir, dit M. Lecourbe.

— Vous le verrez.

L'orage était partout.

XIII

Les étoiles brillaient dans un ciel de velours noir, quand Bernard Quesnay, tout animé d'une émotion assez douce, traversa la ville endormie. L'air était frais. Parfois dans le lointain, un pas résonnait sur le pavé. Quand il arriva devant l'usine, il en devina avec peine la masse noire dans l'obscurité solide.

Comme il remontait la longue cour, une voix sortit de la nuit :

— Bonjour, monsieur Bernard.

Il reconnut les fermes accents du chef mécanicien.

— Bonjour Cazier.... Eh bien, vont-ils nous lâcher?

— Ma foi, monsieur Bernard, puisqu'ils ne sont pas là, je le crains bien.... La grève a été votée par 40 voix contre 30. Les nôtres étaient contre; mais ils n'osent pas venir. Bien que je ne sois pas syndiqué, je parle à plus d'un. Ils ont peur de se faire casser la tirelire.... Voulez-vous que je mette la lumière? Des fois qu'il y aurait du grabuge, ça vaut mieux.

Il alla tourner un commutateur. Soudain toute l'usine flamboya : bien que les machines fussent immobiles, elle parut aussitôt vivante, comme un malade dont les yeux conservent encore la fleur de la vie. Cinq heures sonnèrent.

— Ils ne viendront pas,... dit le grand mécanicien. Bande de vaches! qu'est-ce qu'on va faire?

— Trouver des chauffeurs de fortune et tourner.

— Je serais surpris si vous en trouviez. C'est pas un pays fort courageux, par ici. C'est un pays où, quand on vous attaque, il vaut mieux crier au feu qu'au secours quand on veut voir des têtes à la fenêtre.

— Mon frère et moi, nous chaufferons, avec des employés....

— Vous ne le ferez pas longtemps.

Vers six heures, les groupes commencèrent à se former devant la grille, indécis; Bernard alla à eux. On le salua mollement. Des femmes se donnèrent des coups de coude en riant.

— On travaille-t-y, m'sieur Bernard?

— Mais naturellement, on travaille.... Seulement, il me faut quelques hommes de bonne volonté pour chauffer. Les conducteurs de machines sont là.... Vous n'allez pas vous laisser arrêter à mille, faute de quatre volontaires?... Toi, Ricard, as-tu peur?

Ricard, un colosse, médaillé militaire, devint très rouge.

— J' ai pas peur, mais j' peux pas prendre le travail de ces hommes-là.

— Qui parle de leur prendre leur travail? On le leur rendra quand ils reviendront.

— C'est pas encore tant la question de ça, mais j' veux pas avoir des mots avec personne.

— Et quand on vous dirait quelque chose! Vous êtes fort comme un Turc.

— Justement, m'sieur Bernard, justement; je me connais, j'en tuerais deux ou trois... ce serait malheureux.

A coups de discours, il recruta quelques hommes qui descendirent vers les chaudières. Mais il vit bien que les camarades les considéraient non comme des héros, mais comme des traîtres. Il en souffrit pour eux, et pour lui.

Aux chaudières, il regarda monter la pression.

— C'est dur?

— Non, monsieur, c'est encore chaud; quelques fagots de bruyères et le feu part.

Avec les chauffeurs improvisés, il apprit le métier. Une heure plus tard, le sifflet, triomphal, annonçait la résurrection de l'usine. Bernard parcourut le tissage : il était presque vide. Dans une salle de quarante métiers, trois femmes hésitantes discutaient :

— Oh! mon Dieu! écoutez... ça fait deuil d'être si seules. Si 'core tout le monde était là, on aurait peut-être du courage.

— Du courage, mesdames? Mais que craignez-vous?

— Ce qu'on craint? Ben, c'est pas des hommes du métier qui sont aux pompes.... Si tout pétait....

Elles aussi, comme le mécanicien Cazier, redoutaient à la fois et souhaitaient des malheurs, comme sans doute les habitants d'une ville en région envahie redoutent et souhaitent un bombardement.

— En voilà une idée! Les conducteurs sont là; je vous assure qu'ils connaissent les chaudières.

— Ça fait rien.... Vaudrait mieux pas tourner que de tourner comme ça.

Un sentiment de classe, obscur et vigoureux, leur rendait odieux les salaires qu'elles allaient gagner. Quand Bernard redescendit dans la cour centrale, M. Cantaert lui apprit qu'une de ses équipes s'était débandée, vaincue par le remords. A ce moment Antoine arriva.

— Antoine, veux-tu que nous prenions une chaudière à nous deux?

— Entendu.

Torse nu, en parisienne de toile bleue, les deux frères se mirent à la chauffe.

XIV

Le soir quand, à l'heure du dîner, ils vinrent à table en chemise souple, les cheveux bien brossés, le visage rouge, ils étaient fort contents d'eux-mêmes. Comme un bon soldat, qui a combattu de son mieux dans son coin, s'imagine que la bataille est gagnée et ignore la petite importance de son rôle et la défaite, ils s'intéressaient peu à la grève et, brisés par une saine fatigue, ne pensaient qu'à échanger leurs impressions, à manger, à se coucher, à dormir. Françoise, jouant son rôle de femme en temps de guerre, admirait les combattants et les récompensait de ses éloges.

— Que vous devez être fatigués!

— Pas tant que ça, quand on a l'habitude des sports, on peut faire n'importe quoi. Le seul moment dur, c'est quand on décrasse.

— Et les ouvriers? Qu'est-ce qu'ils en disent?

— Nous ne savons pas; dans notre trou, nous n'avons vu personne.

Après le dîner, comme Françoise, à la demande de son beau-frère, venait de commencer l'andante de la Cinquième Symphonie (" Ne dites pas la Cinquième, Françoise, vous me faites penser à Mme Verdurin ") et délivrait lentement ces notes si douces qui se posent comme une caresse légère sur un front fatigué, on entendit dans le parc la petite porte de la grille qui se fermait bruyamment, puis des pas précipités sur le gravier. Françoise reconnut les signes de l'arrivée de M. Achille. Les deux jeunes gens se levèrent.

— Lui? A cette heure? Qu'y a-t-il de cassé?

Chapeau sur la tête, canne à la main, il entra dans le salon, suivi de M. Pascal Bouchet, calme et souriant à son ordinaire.

— Ah! vous voici tous les deux? Enfin!... Que diable avez-vous fait toute la journée?

— Vous ne le savez pas? Nous avons chauffé, à la chaudière 2.

— Ah, oui! dit M. Achille, ironique, agitant sa canne. Alors, la place du capitaine est aux soutes, sur votre bâtiment?

— S'il n'y a pas de soutiers, certainement, répondit Bernard, furieux.

Allant doucement à M. Achille, Françoise prit

d'un geste adroit le chapeau sur la tête du vieillard, la canne de ses mains et poussa un fauteuil près de lui. Seule femme de cette famille, elle jouait auprès du vieux chef le rôle de la duchesse de Bourgogne à la cour de Louis XIV. Pour le distraire, elle faisait mille singeries, parfois avec succès. D'autres fois elle le haïssait. M. Pascal Bouchet alluma un cigare et commença un discours :

— Oui, vous avez fait preuve de beaucoup d'énergie, jeunes gens.... Mais, en principe, M. Achille a raison : *de minimis non curat prætor*.... Et, en fait, votre initiative a donné de mauvais résultats.... Nous venons d'avoir la visite d'un de mes vieux ouvriers, un fidèle, qui a assisté à la réunion de la Bourse du Travail, à six heures.... Or, les esprits sont très montés contre vous, contre la maison Quesnay et Lecourbe.... Les chauffeurs sont furieux que vous ayez pu tourner.... On raconte que vous avez forcé à travailler aux chaudières des enfants de treize ans, que l'un d'eux s'est brûlé dangereusement, qu'un tube de vapeur a éclaté, enfin Dieu sait quoi?

— Mais c'est idiot, monsieur.... Il n'y avait pas d'enfants avec nous; personne ne s'est brûlé et, si vous voulez me suivre, vous verrez que les chaudières sont en parfait état.

— Ma foi, mon ami, je vous crois, mais le mal est fait.

— Il est facile de prouver l'absurdité de tous ces ragots.

— Non, mon ami Bernard, non, rien n'est plus difficile à réfuter que ce qui est entièrement faux.... C'est une très sale histoire, très embêtante.... Vous ne connaissez pas l'aventure du soldat Vibulénus?... Non?... Ah! ces jeunes gens n'ont pas le " pied d'indigo ".... Eh bien! mon ami, lisez-la dans Tacite ce soir avant de vous endormir.... Et vous verrez comment un général romain eut les plus grands ennuis pour avoir fait mettre à mort un légionnaire qui n'avait jamais existé!

— En attendant, dit M. Achille, ils ont décidé de nous empêcher de travailler demain matin par tous les moyens " y compris la violence ".... Un mot qu'on n'avait jamais entendu à Pont-de-l'Eure. Ah! vous avez fait de la jolie besogne, tous les deux! Vous ne pouviez donc pas les laisser faire grève, puisque ça les amusait?

— Je ne regrette rien de ce que j'ai fait, dit Bernard, les bras croisés, debout devant son grand-père, et je le referai demain.... En dernière analyse, c'est la force physique qui gagne les batailles, et c'est très juste. Si les bourgeois veulent conserver le commandement, il faut qu'ils sachent....

Haussant les épaules, bougonnant, M. Achille demanda sa canne et son chapeau. Debout à la porte, il rappela Bernard.

— Et puis, qu'est-ce que c'est encore que cette histoire d'une affiche à la porte de la fabrique, où tu te vantes de briser la grève à coups de millions?

— Quoi? dit Bernard ahuri.... J'ai simplement fait afficher une note pour annoncer que l'on travaillerait demain.

— Comment était-elle rédigée, ta note?

— Je ne sais plus.... " MM. Quesnay et Lecourbe informent leur personnel que, malgré la grève des chauffeurs, ils sont parvenus à faire marcher l'usine par des moyens de fortune et que.... "

M. Achille leva les bras au ciel.

— Par des moyens de fortune! Par des moyens de fortune! Ah! tu choisis bien tes expressions!

Et brandissant sa canne, il partit furieux.

XV

A la porte de l'usine Quesnay, une grande lampe à arc éclairait d'une lumière fantastique quelques visages exaspérés qui se détachaient avec un éclat étrange sur un fond de foule grouillant dans l'ombre épaisse. Plusieurs centaines de grévistes, massés devant la porte, conspuaient les rares ouvriers qui s'obstinaient à vouloir travailler. En arrivant, les frères Quesnay virent de loin, dans le secteur lumineux, une femme qui se forçait un passage et parvenait enfin à s'échapper, châle arraché, jupe déchirée.

Pâles et résolus, prêts au combat, ils arrivèrent sur les manifestants. Mais, à leur grande surprise, dès qu'on les reconnut, les rangs s'ouvrirent, les cris s'arrêtèrent : telle était la loi de cette guerre, la règle de ce jeu. Le patron combattait sa bataille c'était son droit. Même on l'en estimait.

Mais les traîtres à la classe ouvrière subissaient la loi des armées.

Bernard parcourut les ateliers à peu près vides. Seuls étaient venus les ouvriers qui, de leur salaire, avaient un besoin si vif que toute humiliation leur devenait indifférente; quelques filles-mères qui devaient nourrir leur petit, quelques veuves sans économies, trois ou quatre hommes seulement, les éternels opposants de tout régime.

— Inutile d'insister, dit M. Achille, quand il arriva à huit heures.... Fais tout arrêter.

Avec ses petits-fils, il commença le tour de l'usine expirante. Les courroies doucement cessèrent de tourner; on entendit au-dehors le souffle brûlant des chaudières qui se vidaient. Puis un grand silence commença. Seul, dans une salle immense où brillaient des machines inutiles, où pendaient des cuirs avilis, le vieux maître d'usine ressemblait à un grand esprit qui, frappé de paralysie, regarde avec stupeur ses membres immobiles. Sans un mot, les trois hommes regagnèrent le bureau, accablés par une impression de tristesse et de solitude.

“ Mais pourquoi? pensait Bernard, marchant tête basse.... Nous avons tout ce peuple contre nous.... Comme c'est injuste! Un jour, lui aussi, se trouvera devant des machines immobiles.

Sa force sera prête à les faire tourner; ses bras seront tendus vers le métier, mais le charbon ne sera pas venu d'Angleterre, la laine ne sera pas venue d'Australie parce qu'on aura détruit un organisme délicat, découronné un vieillard.... »

A ce moment, il entendit la voix de son grand-père derrière lui....

— Bernard, remets cette caisse droite.

M. Achille rectifiait un alignement.

Au bureau, ils trouvèrent M. Lecourbe excité et caressant sa barbe de président Carnot à coups précipités.

— Les excès auxquels se livrent ces meneurs sont inqualifiables. Je les ai vus, par la fenêtre, saisir Ricard, quand il est sorti. Ils l'ont battu, lui ont attaché une pancarte dans le dos « traître » et Renaudin a invité les femmes à l'accompagner jusqu'à sa maison en crachant sur lui! Jusqu'à un certain point, et dans une certaine mesure, ces démêlés entre ouvriers ne nous regardent pas; cependant....

Bernard, qui serrait les poings, poussa un cri :

— Cela ne nous regarde pas?... Un brave qui, seul, s'est mis avec nous?... Quelle bassesse! Fermons un mois! Allons-nous-en! Quittons Pont-de-l'Eure!

— Ne dis pas de bêtises, dit M. Achille, durement. Nous ne sommes pas au théâtre ici.... Toute cette histoire a été mal manœuvrée. Il faut maintenant voir venir.

M. Cantaert vint apporter des nouvelles. Renaudin venait de partir en automobile pour Louviers où il voulait faire fermer l'usine Bouchet.

— Il faut, dit M. Lecourbe, téléphoner à la préfecture et le faire arrêter.

— Vous lui rendriez un grand service, dit M. Achille.

Puis il commença avec Bernard une interminable conversation sur les précautions à prendre pour empêcher les pièces abandonnées de pourrir dans les foulons humides.

M. Pascal Bouchet, autre maître sorcier qui arriva vers la fin de l'après-midi, fut du même avis.

— Renaudin, dit-il, a déclenché un mouvement qui l'embarrassera bien dans deux jours. L'enthousiasme ne dure pas. La semaine prochaine, ses fidèles commenceront à lui demander des comptes. Si vous en faites un martyr, vous le dégagez de toute responsabilité.... Et les martyrs, ça ressuscite.... Il faut attendre.

— Méfiez-vous surtout du soleil, lui dit M. Achille, si l'on ne remue pas les pièces de temps à autre, la partie exposée à la lumière blanchit. Plus tard, à la teinture, cela ressort en flammes claires.

— Je crois bien, dit M. Pascal. J'avais un vieux contremaître d'apprêts qui racontait toujours les terribles ennuis qu'il avait eus avec les flammes de teinture, en les laissant la nuit dans la rivière.
“ Et vous m' croirez si vous voulez, m'sieur Pas-
“ cal, me disait-il, mais c'était c'te garce de lune
“ qui nous flammait nos pièces dans l'iau! ”

D'un mouvement de poignet, M. Achille envoya les jeunes gens combattre les astres hostiles. Les deux vieillards restèrent seuls. M. Achille, sec comme un coup de trique, un peu jaune, M. Pascal remplissant bien sa peau fraîche, son éternelle rose à la boutonnière. M. Achille, depuis que les secousses des métiers n'agitaient plus son bureau, paraissait malade et triste. M. Pascal, pour le distraire, lui offrit de l'emmener à Louviers et de lui faire visiter son usine arrêtée.

C'était la première fois que le vieux Quesnay pénétrait dans cette retraite mystérieuse, qui avait été si longtemps pour lui la caverne de l'Esprit du Mal. Il s'étonna d'y trouver des vieux bâtiments qui ressemblaient aux siens, la même odeur de suint et d'huile chauffée. Mais l'usine était plus moderne, les murs semblaient fraîchement repeints, on entrevoyait des lavabos ripolinés, des vestiaires aux patères nickelées.

M. Pascal Bouchet, brave homme, et d'ailleurs fier de son royaume, y promena le grand chef ennemi avec une affectueuse complaisance. M. Achille, troublé par des souvenirs pénibles, par des craintes vagues, ne resta que peu de temps.

Revenu sur le sol de sa tribu, il arpenta longtemps la cour silencieuse et huma voluptueusement l'odeur de *sa* laine et de *son* huile.

XVI

Les quinze jours que les jeunes Quesnay passèrent dans l'usine en léthargie leur semblèrent interminables. Aucune paix en vue. On avait prononcé de part et d'autre tant de serments que le mot « conciliation » était tenu pour honteux dans les deux camps. Des cortèges tumultueux parcouraient les rues étonnées de Pont-de-l'Eure. Bernard qui, des fenêtres de l'usine, les regardait passer, admirait leur enthousiasme et regrettait de ne pouvoir les suivre.

Au premier rang marchait Renaudin, les bras enlacés avec ceux de deux camarades, le visage ravi dans une sorte d'extase. « Au fond, pensa Bernard, ce n'est peut-être pas un méchant homme et ça doit être si enivrant, cette popularité. » Derrière lui, venait un groupe nombreux de filles jeunes et jolies, puis, portant un drapeau rouge, le gros chauffeur Ricard.

— Comment, Antoine? Il est révolutionnaire, maintenant, celui-là? Je le croyais suisse de l'église Saint-Louis et clairon des sapeurs pompiers?

— Tout cela est exact, dit Antoine; il ne peut pas voir un défilé sans en prendre la tête.

— Il serait dommage qu'il n'y fût pas, dit Bernard. C'est le tambour-major type.

La foule s'échelonnait, par ordre d'enthousiasme décroissant, de sorte que, vers la fin du cortège, où traînaient des voitures d'enfants et des vieillards, on ne savait plus si on voyait des manifestants, des promeneurs ou des protestataires.

Un groupe de militants qui fermait la marche frappa Bernard par la dureté des visages : « Quelles têtes de Septembriseurs! » pensa-t-il. A ce moment, un de ces hommes aperçut les deux frères Quesnay à la fenêtre et dit tout haut avec une naïve sincérité : « Quelles gueules d'affameurs! » Cela jeta Bernard dans des réflexions sans fin.

En rentrant chez lui, il rencontra Heurtematte et lui dit bonsoir.

— Excusez-moi, m'sieur Bernard, dit l'homme. J' peux pas faire route avec vous. On dirait que je suis vendu.... C'est effrayant la haine qu'y a.

Le dimanche vint. Bernard après la messe, accompagna Françoise chez elle. Dans le jardin, les premières roses, parfaites, ciselaient leurs formes pleines. Un vague murmure musical montait de la petite ville assoupie et brûlante.

— Quel calme! dit Bernard. Qui croirait que cette bourgade paisible empoisonne ainsi notre vie?... Comme c'est bien ce que vous chantiez hier.... « Mon Dieu, mon Dieu, la vie est là simple et tranquille.... Cette paisible rumeur-là... » Croiriez-vous, Françoise, qu'il m'arrive de regretter la guerre? C'était affreux, si vous voulez; on souffrait. Mais tout de même, il y avait un grand bonheur à se sentir « d'accord ». Je savais que mes hommes me respectaient; je courais les mêmes dangers qu'eux; j'étais content de moi. Ici, je me sens suspect, envié. Et c'est tellement injuste.... Enfin, un homme comme mon ami Delamain qui ne travaille que pour son plaisir, qui a des loisirs immenses, a le droit d'être socialiste, ami du peuple, et de se faire acclamer s'il en a le désir. Et moi qui ne fais ce sale métier, au fond, que pour permettre à des ouvriers de continuer à travailler (car l'argent vous savez combien ça m'est égal), je suis détesté.... Ah! non! non! J'ai horreur de ça, j'en ai assez.... Je ne plaisante pas, vous savez.... Je vais tout lâcher, secouer de mes épaules cette usine, ces briques, ces machines.

— Et moi, dit-elle, croyez-vous que je n'en aie pas assez? Je ne sais pas, Bernard, quelquefois j'ai l'impression que tout ceci est une immense folie. Pourquoi vivez-vous tous ainsi? Regardez votre grand-père, il sera mort dans quatre ans, dans cinq ans, mais qu'est-ce qu'il a connu, qu'est-ce qu'il a fait de sa vie? C'est un malheureux maniaque, c'est un fou, je vous assure, et Antoine aussi est fou, et vous, vous deviendrez fou. Mon petit Bacot est déjà sacrifié, je le sens bien. Et moi, je suis malheureuse.

— Vous? dit Bernard, croisant les bras et regardant sa belle-sœur. Mais pourquoi? Vous n'avez pas, vous, une usine arrêtée et des ouvriers en grève? Vous avez tout pour être heureuse; vous avez de beaux enfants, une jolie maison, une vie facile.

— Vous êtes des gens extraordinaires, dit-elle (et sans doute ce “ vous ” désignait-il *les* Quesnay). Vous croyez qu'en donnant à une femme autant d'argent qu'elle en désire et un baiser sur le front de temps à autre, elle doit être heureuse. Ce n'est pas vrai. Votre grand-mère et votre mère....

— Je ne crois pas, Françoise, que notre grand-mère ait été très malheureuse. Notre mère, oui, parce qu'elle était Parisienne; elle ne s'est jamais habituée à Pont-de-l'Eure.

— Votre grand-mère? Elle était enterrée vivante. Votre grand-père oubliait sa présence des soirées entières. Pendant la première année de mon mariage, sa vie m'épouvantait. Quand je m'ennuyais, elle s'étonnait : " Pourquoi ne travaillez-vous pas? me disait-elle; de mon temps une jeune femme avait toujours un ouvrage. " En effet, c'est elle qui a fait tous les affreux stores de filet qui sont chez vous. Elle avait un salon qu'on n'ouvrait pas, parce que le soleil fait passer les rideaux. Elle ne sortait jamais; elle n'avait pas vu Chartres et Dreux, qui sont à deux pas. Quand je lui disais : " Mais vous ne regrettez rien? Vous n'aviez pas envie de voir l'Italie, l'Égypte, enfin de vous amuser? " elle me répondait : " La vie n'est pas faite pour s'amuser. J'ai aidé mon mari; j'ai bien élevé nos enfants; je ne me présenterai pas les mains vides devant Dieu. "

— Et vous ne trouvez pas ça très bien? dit Bernard assez fièrement.

— Très bien? Peut-être. Mais je ne comprends pas; moi, je veux être heureuse.

" Elles sont toutes semblables, pensa Bernard. Simone dirait les mêmes phrases. "

— Mais vous ne croyez pas, Françoise, que cet appétit de bonheur des jeunes femmes de notre génération est plutôt une faiblesse, un signe de pauvreté intérieure?

— Vous êtes comme Antoine, dit-elle un peu

irritée. Vous vous accordez le droit d'être mécontent et vous décrétez que pour les femmes tout est bien.

Derrière eux, le gravier craqua. Ils se retournèrent.

— Ah! dit Françoise d'un air content, c'est le Pacha.

C'était le nom que les enfants Pascal-Bouchet donnaient à leur père, qu'ils aimaient beaucoup. Il les rejoignit, souriant, une énorme rose à la boutonnière.

— Quelle tête vous faites, tous les deux? Qu'est-ce qui ne va pas, jeune Bernard?

— Que vous faut-il de plus, monsieur? dit Bernard.

— Quoi? Cette grève? Mais dans quinze jours nous n'y penserons plus....

— Comment cela peut-il s'arranger? De part et d'autre on a juré....

— Juré? Où irait-on, mon ami, s'il fallait faire ce qu'on a juré?... Nous ne transigerons jamais? Cela veut dire : pas dans cinq minutes, pas aujourd'hui.... Mais demain!... Tout s'arrange.

— Comment, monsieur?... Si c'est pour continuer avec nos ouvriers une sorte de lutte sourde, j'aime mieux me faire chauffeur de taxi.... Moi, j'ai besoin d'être aimé.

— Un chef, dit M. Pascal, n'est ni aimé, ni détesté.... Il est un chef, c'est-à-dire un responsable.

— Eh bien, disons si vous voulez que je n'ai plus envie d'être un chef.

— Fort heureusement on ne vous demande pas votre avis, dit M. Pascal en lui tapant sur l'épaule. Françoise, mon petit, où sont Bacot et Micheline? Moi, voyez-vous Bernard, je profite de la grève pour voir davantage mes petits-enfants.... *Renaudin nobis haec otia fecit.*

XVII

Simone Beix, au début de la grève, avait beaucoup plaint Bernard. Elle lui avait écrit qu'elle imaginait ses soucis, qu'elle l'aimait bien, qu'elle pensait à lui. Bernard avait répondu par un petit billet de deux lignes sur un ton de général qui griffonne un bulletin en pleine bataille. Puis il avait complètement oublié l'existence de sa maîtresse. L'émotion de cette lutte le rendait incapable d'en éprouver d'autres. Tout entier à la recherche des moyens de vaincre Renaudin, il négligeait ceux de retenir Simone. Elle s'attendait à ce qu'il vînt à Paris, fût-ce entre deux trains, pour la voir. La vérité était qu'il n'y pensait plus.

Au bout de dix jours tant d'indifférence l'avait piquée et Bernard avait reçu une lettre un peu ironique : “ Je ne comprends plus très bien, mon chéri. Au temps où votre usine marchait, vous ne pouviez la quitter parce qu'elle marchait;

maintenant parce qu'elle ne marche pas. Pourquoi n'êtes-vous pas vous-même en grève? Je vous vois assis sur un monceau de machines brisées.... Bernard Quesnay sur les ruines de Pont-de-l'Eure.... ou peut-être debout sur une borne ramenant au travail une foule conquise par votre éloquence. Mais non, vous ne devez pas avoir de succès comme orateur populaire. Vous devez manquer un peu de moelleux, de laisser-aller. Vous êtes trop naturel pour le paraître. Sérieusement, mon chéri, qu'est-ce que vous faites? Il faut que vous veniez à Paris mardi. Je serai libre, entièrement libre; je peux vous chercher à la gare au train du matin et passer toute la journée avec vous. Télégraphiez-moi à l'atelier l'heure de votre arrivée. "

Bernard, en lisant, s'était dit : " Pourquoi pas? " C'était vrai qu'il ne faisait rien. Pendant les premiers jours, il avait occupé quelques heures à prendre des mesures pour conserver les pièces, pour arrêter certaines expéditions. Les clients, ignorant la grève, avaient continué à écrire. Il avait fallu répondre. Au bout d'une semaine les courriers étaient devenus minces, puis nuls, mais les habitudes des Quesnay avaient sur eux tant de pouvoir qu'ils continuaient à venir à huit heures au bureau. Ils y restaient jusqu'au déjeuner, revenaient ponctuellement à deux heures et ne repartaient que le soir. Ces longs jours se passaient en de vaines et interminables conversations; M. Lecourbe bâtissait des théories sur les salaires; Bernard laissait voir des sentiments violents que M. Achille raillait d'un grognement. Ils trouvaient un charme dans cette paresse anxieuse. Elle ressemblait à la paresse de guerre. Tel un bon soldat placé en sentinelle dans un poste peu dangereux mais encore honorable, les Quesnay ne se sentaient en règle avec leur exigeante conscience qu'en se refusant le droit de s'en aller. Ils étaient au chevet de cette usine mourante comme à celui d'un malade qui déjà ne peut plus parler, dont la famille attend le dernier soupir avec un mélange d'impatience, de tristesse et de pitié, et les parents moins proches, ennuyés, qui parlent à mi-voix dans la chambre voisine savent bien que leur présence est inutile, mais il leur semblerait honteux de déserter.

Quelquefois une visite de M. Pascal, ou du maire, ou du commissaire de police venait orner un instant la monotonie des jours. Au début Bernard et Antoine avaient essayé de lire, mais M. Achille avait dit d'un tel air : « Des livres au bureau! » qu'ils y avaient renoncé. Le caractère sacré de ces lieux leur apparaissait plus clairement en temps d'épreuve.

Bernard mit la lettre de Simone dans sa poche sans rien laisser paraître de ses sentiments. Un peu plus tard il murmura avec une feinte négligence : “ J’irai peut-être à Paris mardi.... ” Ni M. Achille, ni M. Lecourbe, ni Antoine ne lui répondirent; tous trois regardaient avec une attention triste le drap bleu qui couvrait les murs. Bernard aurait dû s’en tenir là, mais un obscur sentiment de culpabilité le fit continuer : “ Au fond, dit-il, il n’y a rien à faire ici. ” Alors M. Achille, levant ses sourcils épais et embrouillés, dit : “ Il y a toujours quelque chose à faire ”, et Bernard comprit aussitôt l’indignité de ce projet. Ce qui était honteux, c’était de penser à ses plaisirs au milieu des malheurs de la patrie. Il en voulut profondément à Simone d’être la cause de ce manque de tact.

A midi, il lui envoya une dépêche : “ Impossible quitter usine. Regrets et affections. Bernard. ” Vers cinq heures un petit télégraphiste entra dans le bureau des Quesnay et demanda : “ Monsieur Bernard? ” Bernard lut : “ Vous êtes roi, seigneur, je pleure et vous restez. Bérénice. ” Il fit un mouvement d’impatience, froissa la dépêche et la mit dans sa poche. Les trois autres le regardèrent d’un air d’interrogation et de reproche. Recevoir des télégrammes au bureau sans en parler n’était pas admis par les Quesnay. Il pensa : “ Certainement, je n’irai pas. ”

Quand il porta son refus à la poste, la buraliste de Pont-de-l’Eure sourit; elle suivait avec intérêt les amours de M. Quesnay, s’était demandé plusieurs fois depuis le matin s’il céderait mais ne comprenait plus depuis que Bérénice, femme nouvelle, était mêlée à l’intrigue.

Bernard ne regretta pas d’être resté car le mardi fut marqué par un petit drame. Vers dix heures du matin, M. Cantaert arriva au bureau très ému, s’essuyant le front, soufflant, car il était gros et avait couru.

— Monsieur Achille, dit-il, il y a un mort!

Tout le monde se leva.

— Comment? Un mort? dit Bernard.

— Au tissage du bord de l’eau, monsieur Bernard.... C’est le vieux Leroy; ils l’ont tué.

— Mais qui? Les grévistes?

— Oui, monsieur Bernard... Ce Renaudin.

Il expliqua. Dans ce tissage, vieux bâtiment de style Louis XV sur lequel grimpaient des roses restaient quelques métiers à main; M. Cantaert avait voulu s’en servir pour faire tisser des échantillons nécessaires pour préparer la saison suivante. Il avait trouvé dans la campagne quelques vieux tisserands en retraite et les avait embauchés. Les tisserands à la main appartenaient à un temps où syndicats et grèves n'existaient guère; ils étaient venus avec enthousiasme. Le père Leroy, le vieux visiteur que M. Achille avait sauvé du suicide, les surveillait. Pendant quinze jours, Renaudin avait ignoré leur présence. La machine à vapeur était arrêtée; personne ne songeait aux métiers à main; la cheminée que ne couronnait aucune fumée rassurait. Puis, sans doute, le bruit des métiers, ou un espion, les avait dénoncés. Brusquement, ce mardi matin, une foule de quinze cents grévistes avait cerné le tissage, huant les jaunes et cassant les vitres à coups de pierres. Les vieux, surpris, avaient arrêté leurs métiers et essayé de sortir. Leur apparition avait été accueillie par une bourrasque d'injures et de coups de sifflet. A ce moment, le vieux Leroy s'était affaissé. Les cris ne s'étaient pas arrêtés tout de suite parce que cette chute n'avait pas été aperçue. Puis, le voyant immobile et les autres penchés sur lui, les manifestants avaient pris peur et s'étaient tus. Le concierge avait osé s'approcher et avait dit avec stupeur : " Mais... il est mort. " Les premiers rangs avaient entendu et, comme un vol de corbeaux effrayés les hurleurs s'étaient enfuis de ce cadavre.

— Vous l'avez vu vous-même? Vous êtes sûr qu'il est mort? demanda M. Achille qui se méfiait de tous les renseignements indirects.

— Tout à fait sûr, monsieur Achille. D'ailleurs j'ai fait chercher le médecin.

— Un mort, dit Bernard, cela devient grave. Cette fois, ce Renaudin....

— Renaudin? dit M. Achille. Il n'y est peut-être pour rien du tout, Renaudin. D'ailleurs, je ne comprends pas cette histoire. De quoi est-il mort, ce Leroy? Est-ce qu'on l'a touché?

— Oh! non, monsieur Achille. Il était à dix mètres des manifestants.

— On a dû tirer sur lui? dit Bernard.

— Tirer! dit M. Achille. Est-ce qu'on avait tiré, Cantaert?

— Mais non, monsieur Achille. Il a dû mourir d'un coup de sang.

— Il n'en est pas moins vrai, dit Bernard, que c'est cette émotion qui est la cause immédiate de sa mort.... C'est Renaudin qui l'a tué.... Il faut le crier sur tous les toits et l'afficher sur tous les murs de Pont-de-l'Eure.

— Tu ferais mieux d'aller voir, dit M. Achille.

Bernard partit. A travers la grille du tissage, il vit le docteur Guérin qui refermait une chemise. Il s'approcha et regarda le visage du mort. C'était un beau vieillard à moustache et impériale blanches. Dans un arbre, un oiseau chanta. Bernard se découvrit.

— De quoi est-il mort, docteur?

— Je ne sais pas mon ami. Je ne le connaissais pas.... Je ne trouve aucune trace de blessure, ni de contusion.... Accident cardiaque, je suppose.

Le commissaire de police arriva et demanda s'il fallait téléphoner à Evreux pour demander un juge d'instruction.

— Pourquoi? dit le docteur. Ce n'est pas un meurtre.... Faites-le transporter à l'hospice, je vais faire l'autopsie.

Le soir, Bernard alla demander le résultat de l'enquête; il conservait un vague espoir de pouvoir prouver la culpabilité de Renaudin.

— Eh bien, docteur? Et notre homme?

Le docteur Guérin se frotta les mains avec un air de collectionneur qui vient de découvrir une belle pièce.

— Une superbe angine de la coronaire, dit-il avec satisfaction.

En sortant, Bernard vit que les murs de l'hôpital étaient couverts de grandes affiches rouges. Il s'approcha et lut un titre en lettres énormes :

UNE VICTIME DES PATRONS!

“ La rapacité patronale a enfin fait une victime. Un malheureux octogénaire.... ”

XVIII

Le lendemain matin, on téléphona à M. Pascal que le préfet demandait à le voir.

M. le préfet Caumont, grand artiste en administration, grand expert en hommes, était prêt depuis plusieurs jours à offrir sa médiation; mais, comme les évêques anglais guettent la baisse du baromètre avant d'ordonner des prières pour la pluie, il avait attendu, pour intervenir, que l'orage eût produit ses effets bienfaisants.

L'enthousiasme ne s'entretient que par le changement; c'est ce qui rend le métier de meneur difficile. En temps de guerre les chefs de gouvernement ont, pour réchauffer le zèle des peuples, mille attractions passagères : entrée en scène de nouveaux alliés, petites attaques, notes diplomatiques. Renaudin, lui aussi, faisait de son mieux pour maintenir ses troupes sous pression. Mais il était souvent embarrassé. Au début, les cortèges et les chants suffisaient. *L'Internationale* plaisait; puis on s'en était lassé. Faute de mieux, on en était venu à chanter : " Vivent les étudiants! ma mère... ", et, en désespoir de cause, *la Madelon*. Quelques jours de repos physique et de violence de langage avaient bien calmé les nerfs. L'éloquence véhémente des orateurs venus de Paris avait déplu aux masses tranquilles de Pont-de-l'Eure. Les ouvriers désiraient retrouver leur métier et les patrons leur bureau. Il ne fallait plus que sauver la face.

C'est à quoi M. le préfet de l'Eure était proprement admirable. Une longue expérience lui avait enseigné les effets salutaires d'une éloquence grave. Des groupes en conflit et qui croyaient se haïr, placés par cet orateur inimitable en présence du fonds commun de l'humanité, devaient reconnaître qu'ils étaient hommes et que leurs nerfs étaient sensibles aux mêmes accents.

Ayant réuni autour d'une table en fer à cheval, à sa droite les patrons, à sa gauche les ouvriers, il fit un bref discours du trône. " Simple administrateur, sans compétence technique, il se garderait bien d'aborder le fond de la question. S'il avait cru devoir intervenir, c'était dans l'intérêt des innocentes victimes d'un conflit d'intérêts également respectable; des mères et des enfants (*Vif mouve-*

ment d'approbation ouvrière) se trouveraient bientôt exposés aux affres de la faim.... A un moment où notre pays, déjà si éprouvé par des pertes cruelles (*Vive approbation patronale*), avait besoin de toutes les forces vives de la nation... il était certain que le respect de ces devoirs sacrés l'emporterait dans tous les esprits sur les impulsions de la violence. (*Vive approbation unanime.*) »

Cependant, la véritable question, celle des chauffeurs, restait à résoudre. Renaudin ayant dit : « Quinze pour cent, ou rien... », désirait battre en retraite, mais ne le pouvait pas. M. Pascal Bouchet ayant prononcé : « *Quod dixi, dixi...* », désirait accorder sept ou huit pour cent, mais ne savait comment le faire sans ridicule. C'est que ni l'un ni l'autre de ces meneurs d'hommes n'avait l'habitude du parlementarisme. Pour M. le préfet Caumont, ce fut un jeu d'enfant. Ces salaires, que les uns voulaient obtenir, que les autres ne pouvaient consentir; il les accorda sans les accorder, il les refusa sans les refuser. Il les refusa sous le nom de salaires, il les accorda sous le nom de primes. Il les refusa sans blesser l'orgueil ouvrier; il les accorda sans affaiblir l'autorité patronale. Il les refusa en louant la modération prolétarienne; il les accorda en exaltant la bonne volonté bourgeoise.

Le projet voyagea bien quelquefois des patrons aux ouvriers, des ouvriers aux patrons, mais c'était comme le budget voyage de la Chambre au Sénat ; tout le monde sait dès le début de la cérémonie, qu'après quelques minauderies de vieille pudique et offensée, la haute assemblée acceptera une " formule transactionnelle ".

M. le préfet, dans un petit discours final, félicita les industriels de leur initiative féconde et généreuse, les ouvriers de leur intelligente compréhension de leurs intérêts corporatifs.

Tout autour de la table, ce furent des embrassades, des serrements de main. Renaudin, tout souriant, serra la main de M. Pascal, en lui disant :

— Sans rancune.

— Soyons amis, Cinna, répondit M. Pascal.

Le lendemain, heureux de reprendre leur vie familière après ces vacances romanesques, les ouvriers rentrèrent joyeusement.

La paix était signée, ils revenaient la main tendue. Leur candeur désarma la rancune de Bernard. Il avait peine à croire que ces hommes fussent les mêmes qui, la veille, hurlaient devant l'usine morte. Il interrogea ceux qu'il avait tenus, jusqu'à la grève, pour des amis véritables, qui avaient conquis son estime, dont il avait cru mériter la confiance.

— Enfin, vous, Heurtematte, pourquoi nous avez-vous lâchés comme ça, le second jour? Vous nous connaissez assez pour savoir que nous ne sommes pas hommes à contraindre des enfants au travail, ou à risquer de faire sauter l'usine? Voyons?

— Moi, monsieur Bernard! Mais je croyais rien de tout ça.... Seulement, comme de juste, je voulais pas non plus être plus jeanfoutre que les camarades.

XIX

En juin 1920, Françoise demanda à son mari, avec une douce insistance, de louer pour elle une villa à Deauville. Sa sœur, madame de Thianges, devait y passer l'été; elle l'avait à peine vue depuis la guerre; l'air de la mer ferait du bien aux enfants; elle-même avait besoin d'un changement d'air.

Antoine se défendit longtemps. Il ne pourrait aller à Deauville que le dimanche; il avait horreur de cette vie mondaine; jamais un Quesnay n'avait ainsi transporté sa maison loin de l'ombre sacrée des cheminées; M. Achille allait trouver ce projet scandaleux. Mais la crainte la plus forte d'Antoine était que Françoise ne prît, dans un monde différent, le dégoût de la vie de Pont-de-l'Eure.

— Mais pourquoi? répétait-il désolé. Les enfants sont très bien à la campagne; ils ont des mines admirables.

— Disons, si tu veux, que j'en ai envie.... Cela ne suffit pas?

Comme il était faible, il finit par céder, mais si tard et si maladroitement qu'elle n'eut même pas le sentiment qu'il avait voulu lui faire plaisir. M. Achille haussa les épaules; il avait pris le parti de considérer le cas de Françoise comme désespéré. Elle partit au début de juillet.

L'usine vivait, depuis la grève, au régime de la semaine anglaise, et Antoine avait promis d'être à Deauville tous les samedis à cinq heures, mais il avait une voiture neuve à laquelle il avait appliqué de si nombreux perfectionnements qu'elle ne marchait plus du tout. Le premier samedi, il arriva à sept heures, couvert de boue. Sur les pommiers entourés de barrières blanches, sur les géraniums roses, la pluie tombait, tenace et drue.

— Enfin, te voilà! dit sa femme. Je commençais à être inquiète. Tu n'auras que le temps de t'habiller : nous dînons chez Hélène.

— Ah! non, dit Antoine. Je suis fourbu. Je ne t'ai pas vue depuis huit jours. Je me promettais de jouer avec les enfants. Non; téléphone-lui que nous n'irons pas.

— C'est impossible; nous démolirions toute sa

table. D'ailleurs tu verras (continua-t-elle avec beaucoup de gentillesse rassurante et sur le ton d'une mère qui console un enfant), il y a chez elle un petit groupe très amusant : Lambert-Leclerc et sa femme... lui, c'est le sous-secrétaire d'État au Ravitaillement, elle, c'est Sabine Leclerc qui était en pension avec moi. Ça m'amuse de revoir Sabine, elle est charmante, un peu rosse. Puis il y a Fabert, l'auteur dramatique, tu sais, celui qui a écrit *la Steppe*, aussi avec sa femme, et encore un jeune musicien, Jean-Philippe Montel, qui est prodigieux. Il fait des parodies au piano; tu verras, c'est extrêmement drôle.

— Quelle horreur! dit Antoine épouvanté.

Mais la bonne humeur de Françoise était inaltérable; depuis le matin, elle s'était répété : " Il faut que je sois gentille avec Antoine.... " Elle était heureuse, elle s'amusait, elle lui en était reconnaissante et souhaitait lui faire partager son plaisir.

— Je te montrerai, au Casino, de ravissantes petites Espagnoles, maquillées et peintes, et la belle Lady Diana Manners.... Ce matin, à la Potinière, il y avait des robes exquises; on admire beaucoup les miennes, tu sais, surtout la blanche et rouge. Je n'ai pas l'air trop Pont-de-l'Eure; tu n'auras pas à rougir de moi.

Antoine l'écoutait, atterré. Ses craintes les plus secrètes étaient justifiées; il avait prévu qu'elle prendrait goût à cette vie. C'était naturel, elle était si jolie, elle devait éprouver un plaisir enivrant à être remarquée au milieu de tant de femmes. Mais il eût souhaité, lui, s'ensevelir avec tant de beauté en quelque retraite cachée. Il se sentait indigne de la conserver s'il fallait soutenir, pour lui plaire, comparaison avec des hommes brillants. Peut-être aurait-il mieux fait de lui dire ces choses naïvement, mais il était timide et sa timidité le chassait vers les garages, les ateliers. Voyant la partie perdue, il soupira et alla s'habiller.

— Pauvre Antoine! dit Françoise avec un peu de remords. Je te promets que tu ne t'ennuieras pas.

Bien que la villa des Thianges fût toute proche, il fallut prendre la voiture pour y aller, parce que Françoise portait des souliers d'argent. Antoine était sombre et muet. Il avait toujours l'impression que son beau-frère Thianges le traitait avec une condescendance un peu méprisante. Il se trompait : Maurice de Thianges avait un ton de voix protecteur et ne pouvait pas plus le changer que la forme de ses sourcils. Hélène était moins belle que Françoise, mais elle plaisait beaucoup par son esprit qui était naturel, doucement moqueur et sans méchanceté. Elle avait beaucoup d'amis dans les mondes les plus divers; elle faisait collection d'hommes célèbres. Antoine trouva Lambert-Leclerc prétentieux; Fabert décevant; le jeune musicien, Montel, que tout le monde appelait Jean-Philippe, lui déplut singulièrement parce qu'il semblait devenu (en si peu de temps) grand ami de Françoise.

A table il se trouva entre madame Lambert-Leclerc et madame Fabert : toutes deux l'effrayèrent. La femme du ministre était jeune, intelligente et acerbe; l'autre était une grosse dame bienveillante mais désirait parler d'acteurs qu'il ne connaissait pas. Il ne desserra pas les dents et écouta. La rapidité de la conversation lui donnait une sorte de vertige. Ces gens semblaient avoir tout lu, tout vu et connaître toute la terre. A propos de chaque nom nouveau que les hasards d'une phrase introduisaient dans le jeu, l'un d'eux avait une anecdote à raconter. Dès qu'une voix d'homme se taisait, la petite voix claire d'Hélène de Thianges partait comme une sorte de navette qui, traversant la table, portait le fil de la conversation à celui qui devait la relancer. Lambert-Leclerc parla des dettes étrangères et raconta d'amusantes histoires sur la Conférence de la Paix. Puis, sans qu'Antoine eût pu apercevoir " comment c'était fait ", Jean-Philippe se trouva en scène, avec des paradoxes sur la musique nègre. Sur quoi Thianges enchaîna avec la sculpture nègre.

— Personne, dit-il, n'a, plus que les nègres, le sens des trois dimensions.

" Mon Dieu! se dit Antoine. Et pourquoi? "

Mais, pendant la seconde où son attention s'était éloignée, la chasse avait changé de direction. On parlait maintenant du monde d'inspiration des artistes.

— Le sujet de *la Steppe*? disait Fabert. C'est une anecdote que j'ai entendue à seize ans et que j'ai nourrie lentement de tout ce que je rencontrais. En règle générale, on ne fait rien de bon avec un thème qui n'a pas eu, dans l'esprit, son temps de gestation normal. Un romancier se sert de son enfance, de sa jeunesse, rarement de son âge mûr. Le roman de la vieillesse n'a jamais été écrit " de l'intérieur ".... Il n'a pas le temps de mûrir.

— Et les musiciens? dit Hélène, lançant la navette à Jean-Philippe.

— Oh! c'est tout différent. Un thème vous est fourni par le hasard, par la nature. Tenez, continua-t-il en se tournant vers Françoise, cet air de mon opérette que je vous jouais hier soir et que vous aimiez, je l'ai trouvé un jour sur le boulevard, en passant devant le *Napolitain*. Deux soucoupes sont tombées et ont oscillé sur le marbre; cela a fait *tu-lu*, *tu-lu*, *tu-lu*.... Je tenais mon thème. C'est très étrange.

— Mais vous souvenez-vous? dit Françoise. Wagner raconte que le motif du cor de Tristan lui a été fourni, un soir à Venise, par un cri de gondolier?

Et elle sourit à Antoine, comme pour s'excuser.

“ Elle aussi! ” pensa-t-il.

Elle était toute différente de la Françoise de Pont-de-l'Eure ou de Fleuré. Elle semblait s'épanouir, comme une fleur qui trouve un milieu favorable. Antoine aurait voulu s'en réjouir, mais il était exaspéré par son propre silence. Ce n'était pourtant pas qu'il manquât de culture; il avait beaucoup lu, plus peut-être qu'aucun des hommes présents, mais il avait l'habitude de penser lentement, dans la solitude. Et, maintenant qu'il y réfléchissait, sur cette question de l'inspiration, lui aussi savait quelques histoires. Ainsi, l'*Éducation sentimentale*, Flaubert en avait eu l'idée, un jour, pendant un enterrement.... Cependant la conversation cheminait : cathédrales romanes, poètes anglais, vases chinois. Quand Antoine écouta de nouveau, ayant poli son anecdote, il était trop tard; on parlait de l'amour.

— Je crois que nous retournons, dit Fabert, à des mœurs beaucoup plus simples, beaucoup plus proches de celles des Anciens. Sur les plages, les hommes et les femmes reprennent l'habitude de vivre nus; cela rend le désir moins vif et moins dangereux. Il faut penser que cet extraordinaire mélange de pudeur et de tentation, d'instinct et de sentiment, que nous appelons l'amour romanesque, est une combinaison toute récente, elle a huit cents ans d'existence, elle disparaîtra peut-être très vite.

— Ce sera dommage, dit Hélène.

— Mais non, dit Jean-Philippe, on ne s'en apercevra même pas. Nos descendants trouveront aussi naturel de séparer le désir de l'amour que nous-mêmes de les réunir.

— C'est pourtant bien agréable, dit Françoise.

Fabert se pencha et murmura à voix basse quelques mots à Hélène de Thianges qui éclata de rire.

— Vous me faites rougir, dit-elle.

Jean-Philippe parlait avec Françoise. Antoine parut si visiblement furieux que sa belle-sœur lui jeta un regard de reproche et essaya en vain de le faire parler. Son silence et sa maussaderie gênaient toute la table. Françoise le sentit et en eut honte.

« Vraiment, pensa-t-elle, Antoine est impossible! Il ne fait pas le plus petit effort pour m'être agréable. J'ai été bien heureuse depuis cinq jours, loin de Pont-de-l'Eure et de lui. »

Dès qu'on se leva de table, elle alla s'asseoir avec Jean-Philippe devant le piano. Antoine vint s'y accouder sans leur parler. Françoise se leva. Fabert, qui avait vu la scène, vint à son secours et l'entraîna vers un divan.

— Il faut que je vous pose une question, dit-il. Je serais curieux de savoir s'il y a une héroïne de roman avec laquelle vous vous sentez des traits communs, des affinités?

— Certainement, dit Françoise avec passion : Anna Karénine.

— C'est ce que je pensais, dit Fabert avec une sorte de pitié.

Il parla avec elle pendant quelque temps. Dès qu'il fut parti, Antoine prit sa place.

— Qu'est-ce qu'il t'a dit?

Elle le regarda avec colère :

— Il m'a dit sur moi-même des choses qui m'ont étonnée et effrayée.

— Allons-nous-en! Viens! dit Antoine brusquement.

— Comment? Mais on sort de table et nous devons tous aller voir la pièce de Fabert au Casino.

— Je ne suis pas bien; je ne peux pas rester. Entends-tu, Françoise? Je ne *peux* pas.

Elle le vit si agité qu'elle craignit une scène publique et céda. Leur départ laissa les Thianges et leurs hôtes étonnés et attristés.

Un peu plus tard, Jean-Philippe parla d'eux à Hélène de Thianges :

— Comme le mari de votre sœur lui ressemble peu !

— Oui, n'est-ce pas? Ce soir il était insupportable. Nous n'avons jamais compris pourquoi elle a voulu l'épouser. Il y avait des difficultés de famille, mais elle en était folle. C'est vrai qu'il est plutôt bien physiquement et qu'en ce temps-là il était officier et aussi, justement parce que nos familles étaient brouillées, Françoise trouvait ce mariage romanesque.

— Les verrons-nous demain? dit Jean-Philippe.

— Vous, laissez-la tranquille, dit Hélène en riant.

XX

Antoine resta longtemps dans le petit salon de la villa, sans oser rejoindre Françoise dans leur chambre. Il y avait, dans un coin, une petite bibliothèque où il trouva *Les Origines de la France contemporaine*. Il lut plusieurs chapitres ou, du moins, en tourna les pages pour essayer de se calmer.

“ Ces escaliers de Versailles si larges que quatre-vingts dames en robes à panier.... ”. “ Ce n'est pas possible, pensait-il, je ne puis la laisser seule ici : Dieu sait qui les Thianges vont encore recevoir pendant l'été! Ce milieu parisien est d'une liberté dangereuse, oui, dangereuse. Françoise est honnête, elle le comprendra.... Comprendra-t-elle? Elle est déjà si transformée. Ah! pourquoi n'ai-je pas eu la volonté nécessaire pour l'empêcher de venir ici? ”

Enfin, vers minuit, il se décida à monter et à lui parler.

— Peut-être dort-elle?

Il le souhaitait, mais elle ne dormait pas. Elle était couchée mais avait gardé la lumière allumée et attendait sans même lire. Son visage avait une expression très grave : elle avait pleuré.

— Tu n'es pas fatiguée? dit-il. Je peux te parler?

Elle le regarda, les yeux fixes, sans répondre. Il continua :

— J'ai réfléchi. Je crois que tu seras de mon avis. Il n'est pas convenable que tu restes seule à Deauville. Ta sœur va recevoir un tas de gens, des célibataires, des artistes. Elle a son mari, c'est très bien, mais toi.... Sans le vouloir, tu serais compromise.... Je souffrirais trop.... Nous trouverons facilement à sous-louer la villa pour le mois d'août.

— Es-tu fou? dit-elle froidement.

— Mais pourquoi?

— Tu crois que je vais rentrer à Pont-de-l'Eure en août... me priver d'un monde qui m'amuse... oui, qui m'amuse... simplement parce que tu n'y es pas brillant et parce que tu es jaloux? Jamais, tu entends, jamais!... Moi, je vais te faire une autre proposition, Antoine, j'ai réfléchi aussi depuis deux heures. J'en ai assez de passer ma jeunesse enterrée dans une campagne, liée à un homme pour qui je compte moins que ses cheminées et ses métiers! J'ai encore quelques années de jeunesse. Je veux vivre. Donne-moi ma liberté; j'élèverai mes enfants; toi, tu t'occuperas de ton drap, de ta laine, puisque rien d'autre au monde n'existe pour toi.

La discussion devint d'une grande violence. Françoise fit des Quesnay un portrait terrible, injuste et vrai. Un flot de griefs mesquins semblait jaillir, avec une force irrésistible, de ces deux cœurs tourmentés.

" Qu'est-ce que je dis? pensait Antoine. Qu'est-ce que je dis? D'où sommes-nous partis? "

Mais il ne pouvait contenir les mots. Enfin la vérité apparut clairement à tous deux : ils se haïssaient, ils n'avaient plus rien de commun. Ils se turent.

Antoine passa douloureusement la main sur son front et dit :

— J'ai trop mal à la tête; je vais faire quelques pas dehors; j'ai besoin d'air.

Il sortit; la pluie avait cessé. Un immense ciel étoilé couvrait les villas endormies. Sans doute était-il très tard. Au *Normandy*, quelques lumières encore dessinaient des persiennes closes; seul le Casino brillait, navire au large. Antoine lui tourna le dos et alla vers la mer. Elle montait avec un clapotis lent et doux. La plage était déserte. Il se coucha sur le sable. Dans le lointain, vers le Havre, un phare tournait. Il compta les secondes : “ Un, deux, trois, quatre, cinq — lumière —.... Un, deux, trois, quatre, cinq — lumière —. ” Ce rythme l’apaisa un peu; puis, s’étendant en arrière, il eut l’impression de plonger au milieu des étoiles. Il les nomma : “ La Petite Ourse; la Polaire.... Cette forme de chaise, j’ai oublié son nom.... Les Pléiades clignotent. Que c’est beau ! ” Le silence lui faisait du bien et aussi l’immensité du ciel, de la mer, leur indifférence. C’était comme s’il avait eu devant lui un compagnon géant, tendre et muet.

“ Mais voyons, se dit-il, qu’est-il arrivé? Quel est le point de départ? Tout cela est puéril. C’est comme un rêve absurde. J’aime Françoise tendrement. ”

Il pensa à ses petites manies, à son amour des fleurs, des étoffes anciennes, à certaines expressions délicieuses qu’elle avait en regardant les enfants. “ Tout, pensa-t-il, j’aime tout en elle, même son côté Pascal-Bouchet, comme dirait Bernard. Surtout cela peut-être. Je lui suis reconnaissant d’être différente de moi.... Mais alors, ce soir?... Quand je suis arrivé, à sept heures, elle était comme d’habitude.... C’est ensuite... pendant ce dîner. ”

Il ferma les yeux et chercha à se souvenir. Le

bruit de la vague qui s'étalait fut comme une caresse.

« Non, tout cela est plus ancien; elle se détache de moi depuis deux ans, par ma faute. Quand je l'ai épousée, elle m'admirait; je représentais pour elle une force, d'abord à cause de mes histoires de soldat, surtout parce que je bravais ma famille pour l'épouser.... Voilà.... Je lui ai fait espérer un amour très grand, héroïque. Et je n'ai pas tenu le coup, à cause des Quesnay. Dès que je suis dans ce milieu de l'usine, je suis dominé, impuissant. Devant grand-père, je n'ai aucun courage, même devant Bernard, quand il me parle d'une certaine façon. Certaines femmes ont besoin d'un don immense; Françoise a trouvé en moi de la petitesse.... Je l'ai senti et je n'ai pas osé en parler et je me suis réfugié dans cette vie de lecture, de mécanique.... Et pourtant j'aurais été prêt à mourir pour elle.... Oui, certainement.... Il faut.... »

Il se leva et se mit à marcher rapidement sur le sable, vers la villa.

« Tout cela va changer.... Mais comment ai-je pu croire que l'usine, que M. Achille, sont des choses plus importantes que le ciel, la mer et surtout qu'elle?... C'est vrai que j'étais fou. »

En arrivant près de la maison, il se mit à courir. Une fenêtre éclairée était ouverte; en approchant, il vit Françoise penchée. “ C’est toi? ” dit-elle. Elle avait eu peur. En le voyant partir dans la nuit, après cette scène, elle avait pensé à des choses absurdes, au suicide possible, à la mort, et elle aussi avait trouvé là un compagnon géant et doux, replaçant toutes choses à leur vraie distance. Avait-elle eu parfaitement raison? N’avait-elle pas un peu de coquetterie à se reprocher? Avec ce Jean-Philippe, pendant la semaine qui avait précédé l’arrivée d’Antoine, elle avait été beaucoup trop intime. Elle savait très bien que, s’il restait encore quelques jours, il deviendrait entreprenant. Déjà l’autre jour, au piano, ses mains.... Pendant ce temps, Antoine travaillait à Pont-de-l’Eure, et travaillait pour elle, pour les enfants. Au fond elle l’aimait bien. Il lui avait enseigné tout ce qu’elle savait de vraiment solide et sérieux. Il était très bon, très simple; si elle avait pu l’arracher à l’influence de son grand-père, il aurait été parfait. Pauvre Antoine! Comme elle avait dû le faire souffrir.

Elle se recoucha; quand il entra, il vint s’agenouiller près du lit sans rien dire et prit la main de Françoise qu’il embrassa avec une sorte de ferveur. Alors elle se souleva un peu et, de sa main gauche, lui caressa les cheveux, doucement. Il vit qu’il était pardonné.

— Tu me diras ce que tu désires. Nous vivrons comme tu voudras.

— Mais non, dit-elle, je ne veux rien. Si cela peut te faire plaisir, je quitte Deauville demain.

— Quelle idée! Au contraire, reste tout l'été; je viendrai plus souvent. Grand-père criera.... Tant pis!

Elle sourit.

— J'aime te voir ainsi; je ne te demande qu'une chose : essaie d'être plus à moi qu'à eux.

— J'essaierai, dit Antoine, et il l'embrassa. Sous la soie rose de la chemise, elle était tiède et abandonnée.

Ils se réveillèrent à l'aube, car ils avaient laissé la fenêtre ouverte. Il faisait beau. A l'horizon, le ciel et la mer se confondaient dans une brume argentée. M. Achille avait annoncé qu'il viendrait passer le dimanche. Les plaisirs de l'indignation l'attiraient en ces lieux de scandale. Antoine dit à Françoise : “ Si cela t'ennuie, je m'occuperai de lui. Tu pourras rester avec ta sœur. ” Elle protesta : “ Mais pas du tout! Au contraire, ce sera très amusant de voir Monsieur Achille à la Potinière! ”

Il arriva vers onze heures, conduit par Bernard. La mer était d'un gris d'ardoise et de pigeon, le ciel traversé d'un vol de nuages roses; les robes jaunes, corail, ponceau, piquaient de leurs teintes vives le sable beige. M. Achille refusa de s'asseoir. Une voix derrière lui, cria joyeusement : " Monsieur Quesnay, votre serviteur! "

Se retournant, il vit un homme jeune, aux cheveux rejetés en arrière d'un mouvement gracieux, et dont la chemise ouverte fort bas laissait voir la poitrine lisse. L'idée que cette apparition androgyne pût prétendre le connaître le remplit d'une fureur violente. Il lança à la créature un regard noir et surpris. Mais l'être décolleté ne s'émut pas, car c'était M. Jean Vanekem.

Il avait loué à Deauville une villa fleurie de géraniums qui abritait tout un harem de dactylographes. De là, il envoyait sur les marchés du monde des ordres d'achats triomphants.

Comme il s'était nommé, M. Achille offrit à regret un doigt à sa main tendue et grogna un bonjour hostile.

— Eh bien, monsieur Quesnay, dit l'athlète, familier, croyez-vous que ça monte? Le peigné à cent francs!

— Ne comptez pas trop là-dessus, grogna M. Achille. La mère des moutons n'est pas morte. Tout cela craquera plus tôt que vous ne pensez.

— Vous n'êtes pas sérieux! dit l'autre avec

regret. J'irai vous voir un de ces jours, à Pont-de-l'Eure.... J'ai une affaire superbe à vous proposer.... Les papeteries de Ko-Ko-Nou.... Une usine au milieu de l'Afrique.... Main-d'œuvre pour rien et des forêts de matières premières.... A bientôt et bon souvenir à mon cousin Lecourbe.

Entre deux belles filles complémentaires, blonde au sweater violet, brune au sweater paille. M. Vanekem s'éloigna sur les planches, d'un pas élastique.

— Qui est-ce? demanda Françoise étonnée.

— Ça? dit M. Achille avec mépris. C'est mon plus gros compte débiteur qui s'en va la poitrine à l'air.

Debout, son veston d'alpaga noir luisant au soleil, il regardait d'un air sarcastique les joueurs de tennis vêtus de flanelle blanche, les baigneuses en maillot dont les seins pointaient sous l'étoffe tendue et le grouillement brillant de cette foule inutile. Françoise pensa qu'il avait l'air d'un vieux magicien que tous ces fous auraient oublié d'inviter et qui, d'un geste, allait les changer en crapauds.

XXI

Antoine prit l'habitude de ne rentrer que le lundi à Pont-de-l'Eure. Il lui semblait que la vie de l'usine était devenue tout d'un coup comme lointaine et monotone. Il était comme un homme qui a eu longtemps devant les yeux des lorgnettes grossissantes et qui, les abaissant soudain, voit les objets s'éloigner de lui et reprendre leur vraie grandeur. " Comment, se disait-il, ce n'est que cela? " Déjà il pensait au dimanche suivant. Il retrouvait une impression de jeunesse, du temps où, soldat, la semaine se passait à attendre une permission. Alors le dimanche seul comptait; ainsi maintenant, le courrier, les tournées dans les ateliers, les achats de laine devenaient des exercices obligatoires, fastidieux et vains comme l'escrime à la baïonnette, et la vie véritable était tout entière dans les quelques heures précieuses où il retrouvait Françoise.

Vers la fin de juillet, comme il sortait de l'usine avec Bernard, un courtier en laine cria de loin : “ Messieurs Quesnay, on a baissé à Londres.... ” Ainsi, six ans auparavant, un ami, ouvrant *le Temps*, leur avait dit avec indifférence : “ Tiens ! on a assassiné l'archiduc héritier d'Autriche. ”

A ce moment, la folie d'acheter était à son plus haut et les spéculateurs, ardents à leur jeu, ne voyaient pas les montagnes de laine accumulées au-delà des océans dans les *estancias* argentines, dans les fermes australiennes, prêtes à s'écrouler sur l'Europe.

La baisse de Londres était légère, ondulation à peine visible de la courbe montante des prix, mais elle tombait dans un marché si chargé de stocks qu'elle entraîna tous les courages, comme une goutte suffit à précipiter une solution sursaturée. Les négociants, qui avaient trop acheté, au premier choc s'affolèrent et demandèrent à supprimer leurs ordres. M. Lecourbe les accueillit fièrement : “ Il en restera encore trop. ”

Mais la contagion était rapide, l'épidémie redoutable. Les journaux annonçaient le retour prochain aux prix d'avant-guerre. Une conspiration d'économie unissait les consommateurs contre l'avidité des producteurs. Porter un veston élimé, faire retourner un pardessus usé, devenait un signe de vertu. Par snobisme, les parvenus cessaient soudain de dépenser. L'amie de Vanekem, Liliane Fontaine, écrivit à Bernard Quesnay : “ Pourriez-vous m'envoyer de la gabardine beige? Je veux me faire une petite robe. ” De tous côtés les stocks sortaient comme des rats devant l'inondation. Vinrent les ventes d'Anvers. Là, les prix descendirent la pente à toute allure.

Comme un train qui vient de s'arrêter sur un obstacle (et la première voiture brisée devient elle-même un danger pour la seconde, sur laquelle s'abîme la troisième), ainsi contre l'entêtement solide des consommateurs vint se briser l'élan des boutiquiers; contre les magasins remplis se heurta en vain la force des usines, et les usines, freinant brusquement, reçurent le choc impuissant des pays producteurs de laine.

Le passage de la prospérité à la misère, comme toutes les grandes catastrophes tragiques, se fit dans la manière théâtrale et brusque qui est celle du destin. Au début d'un mois, une industrie trop heureuse, trop riche, refusait avec dédain des ordres inutiles; à la fin du même mois, cette industrie se voyait acculée au chômage proche. Comme au lendemain d'une défaite, un général atterré contemple sa ligne défoncée, examine l'un après l'autre les points sur lesquels il croyait pouvoir compter et comprend soudain que toute cette force apparente n'était que faiblesse, chacun des fortins n'ayant de valeur que par l'appui de tous les autres, ainsi les deux frères Quesnay, feuilletant leurs livres d'ordres pilonnés à coups de crayon bleu, trouvaient partout les signes trop certains du désastre.

— C'est grave, disait Antoine à Françoise, si cela continue, nous serons ruinés.

Elle accepta la nouvelle très gaiement.

— Ça m'est égal, dit-elle, je travaillerai. Je ferai des robes, des chapeaux. Cela m'amusera.

Dans la Cité du Drap, ses clients désolés montraient à Bernard les piles d'étoffes, géantes, redoutables.

— Vous donner du travail pour vos métiers?... Mon pauvre ami! Mais voyez vous-même : ma cave, mon grenier sont pleins de drap.... Et j'en ai trois mille pièces à recevoir.... J'ai du tissu pour deux ans!

— Ces piles! cria le jeune Saint-Clair, que les Quesnay aimaient pour son langage rude et ferme.... Ces piles! Ça me fiche le cafard!... Si un croquant vient un matin acheter trois mètres de drap bleu, il les renvoie le soir, sous prétexte qu'il les avait crus jaunes.... Et ces sacrées piles sont toujours là!

M. Roch, hautain, reçut assez mal l'ambassadeur de Pont-de-l'Eure :

— Vous voulez rire, mon jeune ami? J'ai moi-même vingt millions de stocks. Pourquoi voulez-vous que j'achète?

— Monsieur Roch, ce n'est pas une affaire que je vous propose, c'est un service que je vous demande. J'ai mille ouvriers, il faut qu'ils puissent manger.... Vous avez été le meilleur ami de mon père....

— Sans doute, mon ami, sans doute.... Mais votre père n'a rien à voir là-dedans.... Il ne s'agit pas de questions sentimentales. Il s'agit de savoir si je pourrai, oui ou non, payer mes créanciers. Les affaires ne se font pas à coups de souvenirs de famille.

A M. Cavé l'aîné, Bernard proposa de fabriquer les tissus lourds et gommés que souhaitaient, pour leurs burnous, les Arabes de l'Algérie.

— Trop tard, monsieur Quesnay, l'Algérie n'achète plus.... La récolte est très mauvaise là-bas; les Arabes souffrent de la disette du blé.... C'est votre faute.... Si vous aviez voulu travailler l'article au moment où je vous l'ai dit, vous auriez pu vous faire une place, mais chez vous on n'a jamais su que se regarder le nombril.

Pendant deux longs jours, Bernard explora Paris, étonné de sa propre ardeur à poursuivre des acheteurs qui se dérobaient enfin. Comme il arrive aux amants, la difficulté du métier commençait à lui en donner le goût.

XXII

Il avait rendez-vous à cinq heures avec Simone, dans un atelier qu'elle avait loué et où elle le recevait souvent. A midi, on lui téléphona de Pont-de-l'Eure que M. Roch désirait le revoir et l'attendait à cinq heures précises.

« Ah! non, pensa-t-il, Roch m'embête. Je l'ai vu ce matin. Que peut-il vouloir? Je n'irai pas... ou j'irai demain.... Mais demain on m'attend à l'usine et j'ai promis à M. Cantaert de voir cet ingénieur des chaudières avec lui. Pourtant, Roch, c'est bien sérieux.... (Que tu m'ennuies, se dit-il à lui-même, tu troubles tous mes plaisirs).... Peut-être Simone serait-elle libre plus tôt? Cela arrangerait tout. »

Il sonna à trois heures et demie à la porte de l'atelier. Elle ouvrit, dit : « Mais comme c'est gentil d'être venu de si bonne heure! » et fut tout de suite très gaie, très animée. Sur un chevalet était une silhouette de femme blonde, en robe noire, avec une ceinture étroite rayée de rouge et de bleu vif.

— Quelle jolie robe! dit Bernard.

— Je suis contente que tu dises cela : c'est la robe que j'ai voulu peindre. En ce moment, je suis folle d'étoffes, de chapeaux. Il me semble qu'il y a là toute une poésie qui n'a pas été exprimée. Je me suis même amusée à peindre des étalages du boulevard, regarde....

— Oui, c'est excellent, dit Bernard sincèrement, mais tu n'as pas peur que ça fasse gravure de modes?

— Mon petit, toutes proportions gardées, c'est comme si tu avais demandé à Monet : " Vous n'avez pas peur que la cathédrale de Chartres fasse carte postale? " Il ne faut jamais avoir peur de la banalité d'un sujet s'il vous émeut réellement. Crois-tu qu'avant Berthe Morisot et Monet on aurait osé peindre les objets ménagers, les bancs des jardins, les locomotives? Aux premiers Utrillo qu'on voit, on se dit : " Quelle étrange idée, tout ça n'est pas beau. " Et puis, tout à coup, dans la banlieue de Paris, on se prend à aimer une école, un hôpital, un café, et on remarque : " Tiens! Un Utrillo... " Toi qui es Normand, tu n'as pas vu au musée de Rouen cette ravissante toile de

Blanche qui représente un magasin de Londres?

— Ce qui me plaît dans ton talent, dit Bernard, c'est que tu peins très honnêtement. Je ne connais pas les termes techniques, mais je veux dire que ce n'est pas heurté, pas volontairement brutal. Dans la nature, les transitions me paraissent toujours douces et il me semble que beaucoup de peintres, quelquefois des plus grands, se refusent à le voir, pour être plus vigoureux Tu comprends ce que je veux dire?

— Très bien. Je suis comme toi, je suis très sensible au côté « lisse » des choses.... Seulement il faut faire attention, il y a deux sortes de lisses, il y a celui de Vermeer ou des grands Italiens, qui recouvre un relief exprimé et qui est authentique, et puis il y a celui de Bouguereau ou de Cabanel, qui est lisse parce qu'il est plat.... Moi, je fais de mon mieux.... Tiens, je suis assez contente des épaules de cette femme....

Bernard, qui était derrière elle, posa doucement ses lèvres sur sa nuque et fit glisser sa robe, découvrant ses épaules rayées d'un ruban parme

— Ma chérie, dit-il, comme tu me plais....

Une demi-heure plus tard, il souleva doucement la tête de Simone qui reposait sur son épaule, leva son poignet au-dessus du corps de sa maîtresse et le tourna légèrement. Elle ouvrit les yeux.

— Tu regardes l'heure? Déjà?

— Oui, dit Bernard un peu honteux, je n'avais pas osé te le dire, il faut que je parte plus tôt.

— Je le savais depuis longtemps.... Vous étiez arrivé à trois heures et demie.... Alors? A quoi me sacrifiez-vous?

Il expliqua, très exactement.

— Et vous n'auriez pas pu remettre ce Roch à demain? C'est moi qui dois m'effacer toujours? Ah! que vous pouvez être odieux quelquefois. Faites attention, mon petit Bernard, ça cassera un jour. Je ne vous préviendrai pas, vous recevrez une lettre et ce sera fini.

— Cela prouvera que vous ne m'aimez pas.

— Mais non, je ne vous aime pas. Ce n'est qu'une comédie bien jouée. Je me passerai très bien de vous. Pourquoi est-ce que je vous aimerais? Vous n'êtes ni gentil, ni amusant, ni attentif. Je connais cent hommes plus séduisants que vous. Si je ne vous avais pas rencontré pendant la guerre, à un moment où j'avais besoin d'être aimée et où d'ailleurs, vous étiez tout différent, je ne vous aurais pas remarqué.

Bernard la regarda, un peu inquiet; les Quesnay comprenaient mal l'ironie. Elle s'amusa un instant de son air surpris, puis vint se blottir entre ses bras.

— Mais si, je t'aime.

M. Roch attendit en vain ce soir-là. Mais en reprenant, à la gare Saint-Lazare, le train de Pont-de-l'Eure, Bernard se sentit très mécontent de lui-même. “ Cela ne m'arrivera plus ”, pensait-il.

XXIII

— Oui, dit M. Achille, trop d'imbéciles se sont enrichis : il faut un nettoyage. Dans un pays, il y a place pour peu de fortunes. Avant la guerre, l'industrie était un métier difficile. Avec beaucoup de travail, on tirait péniblement cinq à six pour cent de son argent; les paresseux se ruinaient. C'était très bien.

Avec son gendre et ses petits-fils, il examinait les moyens de tourner. Un par un, les ordres restant en carnet étaient passés au contrôle d'un jugement sévère.

— Boisselot? Il faut annuler. Il ne peut pas s'en tirer. Il a dix-huit millions de stocks sur lesquels il en perdra dix. Aucune fortune d'avant-guerre. Fichu!.... Dommage, un brave homme.... Remma, de Castres? Oui... il y laissera des plumes, mais il en sortira.... Ses dommages de guerre lui feront un matelas.... Société anonyme des tissus?

Boîte administrative.... Un directeur.... Aucune confiance.... Annulez.... Cernay? Il perd beaucoup, mais il sait travailler; il faut mettre les pieds dans le plat et lui demander où il en est....

L'incohérence de ces métaphores amusait l'angoisse de Bernard. M. Lecourbe les prodiguait : “ La queue mange la tête. — Il faut changer notre fusil d'épaule. — Nous mangerons ce que nous avons, mais nous retomberons sur nos pieds. ”

— La conclusion? interrompit Bernard. Nous avons du travail pour combien de temps?

— Pour un mois.

— Alors, il faut en trouver ou arrêter, dit M. Achille.

— Arrêter!... Et les ouvriers?... Un chômage à l'entrée de l'hiver?

M. Achille feuilleta en silence le livre d'ordres, puis reprit :

— On peut travailler au prix coûtant.... Oui.... On peut aider les ouvriers par des secours de chômage.... Oui.... Mais on ne peut pas accumuler des stocks.... Se ruiner, ça ne sert à rien, ni à personne.... Si vous voulez garder le personnel, trouvez des débouchés. Vous êtes jeunes.

Un mouvement rapide de la vieille main osseuse et poilue congédia le conseil. Bernard sortit le premier. Dans la cour de l'usine où déjà les caisses de fils, les tonneaux d'huile étaient plus clairsemés, il rencontra sa belle-sœur.

— Bonjour, Bernard.... Je cherche Antoine, j'ai besoin de flanelle pour mes gosses de la pouponnière.

— Antoine? Je viens de le quitter : il doit être encore au courrier.

— Avec votre grand-père? Non, merci! Je n'y vais pas.

— Vous avez peur de M. Achille, Françoise?

— Peur? Non.... Mais quand il me voit dans l'usine, il a toujours l'air de me considérer comme la tentatrice qui va vous arracher tous les deux au Paradis des Quesnay.... Cet homme n'a pas d'âme, Bernard.

— Il est tout de même bien fort. Françoise.... Sans lui, où serions-nous aujourd'hui?

— Mon pauvre Antoine est d'une humeur affreuse... C'est vrai, que vos affaires vont si mal?....

— Écoutez les métiers.... M. Achille prétend, quand il entre dans une usine, connaître aussitôt sa situation par ce rythme. Quand l'ouvrage est pressé, l'ouvrier ne l'est pas. L'argent est facile à gagner, les places faciles à trouver. On s'arrête pour parler avec un voisin, pour manger un morceau. Un bout de salle cesse de battre, un autre repart... comme dans ces symphonies modernes, vous savez, celles où les cris des instruments surgissent par spasmes inattendus. Mais quand la vente est dure, le chômage probable, quand le patron, affolé d'accumuler un stock ruineux, souhaite produire le moins possible, alors l'ouvrier travaille à plein rendement. Nous sommes bien malades.

— Alors, Bernard? Ces pauvres gens vont bientôt chômer?

— Je le crains. Et pourtant j'ai fait une belle collection. Venez la voir.

Par des escaliers, des passerelles, il l'entraîna vers son bureau. Sur un long comptoir de bois, il étala des liasses innombrables. Il y avait là des tweeds sauvages, piqués de flocons rouges, verts, bleus; des saxonnés de laine douce aux nuances délicates que des fils de soies vives, orangés, parme, rouges, piquaient d'une rayure à la fois présente et invisible.

— C'est très joli, Bernard; j'aimerais beaucoup un tailleur de ce gris-argent.... Vous en êtes fier?

— Eh bien, franchement, oui. En somme, une belle étoffe est belle comme une belle tapisserie, et même comme un beau poème. Et puis, avoir fait quelque chose soi-même, c'est le bonheur, vous ne trouvez pas?

— Peut-être, dit Françoise avec tristesse, j'essaie de le croire. Vous voyez; je m'occupe de cette pouponnière; j'ai repris les œuvres de votre grand-mère; je fais ce que je peux.

— Je le vois et ça me fait grand plaisir, dit Bernard. Je ne vous l'avais jamais dit, mais je trouvais qu'il y avait dans votre vie un côté esthète qui n'était pas tout à fait authentique.... C'est vrai, avoir les plus jolis rideaux, la plus jolie vaisselle, c'est amusant pendant qu'on le crée, mais ensuite c'est un bonheur négatif. Ce qu'il faut, c'est oublier sa propre existence. Souvent j'arrive ici à huit heures du matin et quand la sirène annonce midi, j'ai l'impression d'avoir travaillé cinq minutes. Alors la vie passe.

— Elle passe peut-être sans qu'on l'ait bien goûtée.

Il ouvrit légèrement les bras et fit une moue de dédain :

— Croyez-vous? Qu'y a-t-il à goûter? *Tale told by an idiot*.... Non, il ne faut pas penser.

— Monsieur Bernard, vint dire un employé, M. Jean Vanekem vous demande au magasin.

— Je vous demande pardon, Françoise, dit-il.

XXIV

M. Jean Vanekem, un peu agacé d'avoir failli attendre, arpentait le magasin d'un pas nonchalant. Il était vêtu d'un pardessus clair, serré sous les seins comme les robes des femmes du Premier Empire, coiffé d'un feutre d'un gris délicat, chaussé de bottines à tiges de daim pâle. Son visage de jeune premier pour film américain s'orna d'un sourire condescendant à l'arrivée de Bernard Quesnay.

— Bonjour, mon cher! J'avais demandé à voir mon cousin Lecourbe, mais vos employés m'ont dit qu'il était absent et je me suis permis de vous déranger. D'ailleurs, ce que j'ai à dire vous intéresse autant que lui.... Vous allez toujours bien? Avez-vous vu Liliane dans *L'Aventurière?* Elle y est charmante.

Bernard l'emmena vers le bureau qu'il parcourut d'un regard circulaire un peu méprisant : il se laissa tomber dans un fauteuil avec beaucoup de grâce.

— Mon cher, vous savez comme moi que la situation actuelle a mis en mauvaise posture les meilleures maisons. Bien que j'aie toujours très bien opéré, l'accumulation des stocks d'une part, la mévente d'autre part, me mettent dans l'impossibilité de tenir mes engagements avec autant de rigueur que je souhaiterais pouvoir le faire. Je sais très bien que dans les termes où nous sommes, vous et moi, ces choses n'ont aucune importance; néanmoins, considérant que je vous dois une somme assez importante, j'ai cru, par un scrupule peut-être exagéré, devoir vous mettre au courant de l'état exact de mes affaires....

Bernard l'écoutait avec surprise et méfiance : " Où veut-il en venir? Vient-il avec cette assurance et cet air glorieux m'annoncer qu'il dépose son bilan? En ce cas, cette superbe est bien déplacée.... Il nous doit près d'un million. Monsieur Achille va rire.... "

— Oui? dit-il tout haut. Je ne comprends pas très bien ce que vous voulez dire : votre situation?

— C'est pourtant fort simple, mon cher. Ma situation n'a rien d'inquiétant et je suis fort au-dessus de mes affaires, à la condition d'inventorier mes marchandises et mes valeurs au cours d'achat. D'ailleurs, voici mon bilan....

Il sortit de sa poche un petit papier qu'il passa à Bernard.

— Vous voyez, dit-il, que la situation est tout à fait saine et que, pourvu qu'on me laisse le temps de liquider....

Bernard leva les yeux et regarda avec stupeur le joli visage gras et souriant de Vanekem :

— Votre situation est tout à fait saine? dit-il.... Mais vous êtes en faillite virtuelle, monsieur.

M. Vanekem, indulgent, parut plus affligé que froissé d'un manque de tact aussi regrettable.

— En faillite!... dit-il. Mais vous vous croyez au temps de Balzac, mon cher. On ne fait plus faillite. Je serai peut-être obligé de demander la liquidation transactionnelle de mes affaires, mais je ne le crois pas. Il me semble que mes créanciers, parmi lesquels j'ai à la fois le plaisir et le regret de vous compter, auraient intérêt à accepter une répartition à l'amiable de 30 à 40 pour 100. N'est-ce pas votre avis?

— Il ne m'appartient pas de prendre une décision à ce sujet.... Je vais exposer la situation à mon grand-père, dès ce soir, et je vous informerai de....

M. Vanekem parut un peu impatienté.

— Soit, mais vous comprenez que j'ai besoin

d'être fixé. S'il faut consulter toute la terre, il devient difficile de manœuvrer. Donc, je compte que vous m'écrirez ce soir....

— Que valent les actions du Ko-Ko-Nou? dit Bernard, nerveux. Elles représentent une part importante de votre actif et, de plus, nous sommes, grâce à vous, des actionnaires....

— Ko-Ko-Nou, dit M. Vanekem, est une excellente affaire, mais qui ne peut encore être en plein rendement. Le petit capital souscrit jusqu'à ce jour a surtout servi à rétribuer quelques concours financiers, politiques et à effectuer quelques voyages d'études dans le Bas-Congo, pour fixer l'emplacement des usines. Celles-ci ne sont pas encore construites. Nous allons prochainement quintupler le capital dans ce but et les porteurs d'actions anciennes auront droit à quatre actions nouvelles au cours d'émission : c'est un cadeau.... Sur quoi, cher ami, je vais vous laisser à vos travaux. Je dois voir à Louviers M. Pascal Bouchet, que j'ai également le plaisir de compter parmi mes fournisseurs.

Il tendit sa main gantée de renne souple. Bernard l'accompagna jusqu'à la porte de l'usine. Un chauffeur en manteau de caoutchouc blanc ouvrit la portière d'un beau coupé surbaissé aux longues lignes raides.

— Une Cadillac des stocks, dit M. Vanekem avec modestie. Oui, c'est une bonne petite voiture.

En regardant s'éloigner le beau nuage de poussière dans lequel M. Vanekem enveloppait sa forme divine et les derniers jours de sa gloire dorée, Bernard pensa non sans gaieté à la fureur certaine de M. Achille quand lui serait annoncé le crépuscule du Dieu, et au sermon qu'aurait à subir M. Lecourbe, pour avoir entraîné la maison Quesnay dans cette galère.

Il savait l'ancêtre en tournée à la filature du bord de l'eau; il le guetta.

— Ah! te voilà, dit M. Achille. J'ai croisé sur la route la voiture de ce Vanekem; il marche comme un fou. Est-il venu ici? Qu'est-ce qu'il veut encore?

— Il ne veut pas payer les six cent mille francs qu'il nous doit. Il m'a fait voir un bilan tout à fait joli... avec une inconscience charmante.

— Ah! ah! dit M. Achille sur un ton de triomphe qui signifiait évidemment : “ Ce que j'avais prévu n'est que trop arrivé.... ” Ah! ah! Vanekem est fini? Eh bien, il doit près de deux millions à M. Pascal! Je le tiens de lui-même. Ça va bien.

Et il partit à grands pas, en se frottant les mains, à la recherche de son gendre, maugréant pour le principe mais tout à fait consolé de sa propre perte par la joie de l'avoir annoncée et par celle, beaucoup plus élevée, de son ami et compère.

XXV

Dans le train de Paris, M. Lecourbe et son neveu Bernard rencontrèrent M. Pascal Bouchet. Le soleil matinal faisait briller les toits d'argent des fermes; une brume rousse enveloppait les arbres d'une vapeur légère comme dans un paysage de Turner.

M. Lecourbe, déprimé, parla de " la situation ".

— C'est épouvantable. Les meilleures maisons sont en danger... Vous savez que Cavé a convoqué ses créanciers? Il demande cinq ans pour payer; il a trente millions de stocks. Une maison qui date de 1805! Un homme qui ne trouvait pas de faux cols assez hauts pour lui!... Et Roch et Lozeron, on en parle aussi. Mais de qui ne parle-t-on pas? Mon cousin Vanekem, un garçon qui, avant la guerre, n'avait pas le sou, qui a eu la chance de gagner une fortune, cet imbécile-là va la reperdre. Enfin, je dois me rendre cette justice que je l'ai toujours bien jugé.... Que voulez-vous? Tout le monde a trop tiré sur la ficelle : elle a craqué. Jusqu'à un certain point et dans une certaine mesure, il fallait s'y attendre.

— Elle n'a pas craqué, dit M. Pascal. Cette Europe d'après-guerre est plutôt comme une corde à violon que l'on a soulevée trop brusquement : elle vibre. Nous n'en sommes qu'à la première oscillation; nous verrons pendant vingt ans des hauts, des bas, des hauts, des bas, d'amplitude décroissante. Puis, tout rentrera dans le calme jusqu'à la prochaine secousse. Tout s'arrange.

— Rien ne s'arrange, dit M. Lecourbe. Le chômage engendre le chômage. L'ouvrier est le seul consommateur, or, il ne gagne rien. Le paysan a de l'argent, mais la campagne n'achète jamais; elle thésaurise. Nous allons à la débâcle. Les économistes les plus distingués s'attendent à une catastrophe mondiale. D'ailleurs, il en est de même après toutes les grandes guerres, en 1817, en 1876....

— Le monde n'est pas fini, dit M. Pascal. On produit très peu en ce moment. Vous marchez à peine à moitié; je suis comme vous. Bientôt les besoins seront grands. Il y a encore des gens qui s'habillent.

A travers la vitre de la portière, Bernard regardait la plaine immense que traversaient lentement un homme et un cheval. A entendre gémir M. Lecourbe, infaillible dans l'erreur, il prenait confiance.

— Nous vivons à une triste époque, dit M. Lecourbe tragique.

— Une triste époque? protesta M. Pascal. Je ne suis pas de votre avis; je trouve ces temps-ci admirables. Avant la guerre, l'homme d'affaires de génie était sans emploi. Aujourd'hui, pour survivre, il faut de l'intelligence et du sang-froid. Nous vivons en pleine tempête? Mais nous savons nager. Nous sommes dans un creux? C'est ce qui prouve que nous allons remonter.... Les imbéciles vendent quand tout baisse, achètent quand tout hausse, et s'étonnent de se ruiner.... Tenez, mon ami Bernard, vous êtes jeune, vous êtes gentil garçon, je vais vous donner le secret de la fortune.... Faites toujours le contraire des camarades.... Comme la plupart des hommes sont des imbéciles, vous serez sûr de bien opérer.

On arrivait. Déjà des maisons à cinq étages se dressaient isolées dans les champs pelés comme les pierres d'attente d'une cité à construire. Cézanne succédait à Watteau. Sous le soleil de juin, des coins de banlieue d'une affreuse beauté projetaient des ombres anguleuses et dures. La gare d'Asnières, importante et ridicule, encadra le train de ses quais démesurés.

— Allons, dit M. Pascal. Nous y voilà.... Nous allons revoir ces bons clients.

— Il faut, dit M. Lecourbe, en mettant son pardessus, il faut que la situation se stabilise dans un sens ou dans l'autre.

XXVI

Bernard devait passer la soirée avec Simone, dont le mari était absent. Il ne l'avait pas vue depuis quelques semaines, ayant très peu quitté l'usine depuis que la situation était devenue dangereuse. Plusieurs fois, il lui avait promis de venir; toujours des difficultés imprévues, un travail urgent à terminer, des caprices de M. Achille que les événements rendaient irritable, l'avaient contraint à remettre les rendez-vous déjà pris. Il lui avait offert de la voir le dimanche, mais c'était le seul jour où il fut, pour elle, tout à fait impossible d'être libre. Elle lui avait écrit une lettre ironique, spirituelle et assez mécontente.

“ Comment va-t-elle me recevoir? se demandait-il, tandis que le taxi l'emportait vers l'atelier.... Je comprends très bien son point de vue. Elle a un mari ennuyeux et casanier. Elle a besoin d'un compagnon d'existence qui partage ses goûts, qui sorte avec elle, qui l'emmène au concert, au théâtre.... Seulement elle prétend que je pourrais habiter Paris et qu'il suffirait de le vouloir. Ce n'est pas vrai. On n'administre pas une maison comme la nôtre sans y vivre.... Elle répondrait qu'une usine n'est pas le but de la vie. C'est possible, mais alors il faut choisir. Ce qui est d'une hypocrisie insupportable, c'est d'accepter les privilèges d'une classe sans en accepter les fonctions. J'aimerais mieux.... »

Il s'aperçut qu'il parlait tout haut dans la voiture : « Allons, du calme! » se dit-il, et il essaya d'imaginer les traits fins de Simone et le son de sa voix qui était à la fois clair et un peu voilé, comme les notes hautes d'un piano quand on appuie doucement sur la pédale.

Elle n'avait pas l'air trop fâchée. Elle ne parla pas des rendez-vous manqués. Elle avait préparé un petit souper amusant qu'elle servit elle-même et partagea avec lui.

— Maintenant, dit-elle, je veux que tu poses une heure pour moi. J'ai toujours dit que je ferais un portrait de toi.

— Mais quelle idée! dit-il, pourquoi ce soir? Tu n'y vois rien.

— J'y vois bien assez pour un dessin au trait. Ne bouge pas trop.

Pendant la pose, elle décrivit un thé auquel elle avait assisté l'après-midi : “ Il y avait madame de Noailles, elle était délicieuse, elle a parlé de Barrès, très bien. Et puis Jean Cocteau, les Pitoëff.... ”

Elle avait un très grand talent d'imitation; non seulement elle reproduisait la voix et les gestes, mais elle improvisait pour chaque personnage des tirades tout à fait vraisemblables : “ Il y avait aussi un poète espagnol, il nous a récité des sonnets Tu veux que je te récite un sonnet espagnol?

— Mais tu sais l'espagnol?

— Pas un mot, mais comme personne ne comprenait, ce sera la même chose; je te donnerai l'atmosphère.

— C'est vrai, dit Bernard quand elle se tut, c'est un très grand poète.... Fais-moi voir ton dessin.

— Encore cinq minutes. Ta bouche est difficile.

— Mais comme tu es charmante! dit brusquement Bernard avec une sincérité évidente, naïve.

— Tu trouves? dit-elle. Vraiment? Si tu me perdais, tu me regretterais?

— Mais je ne te perdrai pas.

— Enfin, si tu me perdais? Tu penserais à

moi? Longtemps? Combien? Trois mois? Je n'en suis même pas certaine. Tu n'as aucune mémoire. Moi, dans trente ans, je pourrais te dessiner, imiter tes gestes. Au fond, tu n'es pas artiste.... Mais je t'aime tel que tu es. Je ne voudrais rien changer en toi, pas même ton sale caractère. N'essaie pas de regarder l'heure; ce soir je serai impitoyable. Je suis seule chez moi, je peux rentrer à quatre heures du matin si je veux.... Oui, je sais, tu te lèves de bonne heure. Eh bien, tu seras fatigué.

Elle le garda jusqu'à l'aube. Rue Jouffroy, ils trouvèrent une voiture de nuit qui rentrait.

— 24, rue de l'Université, dit Bernard.

Elle habitait au 14, mais s'arrêtait toujours à quelque distance. En traversant la Seine, Bernard frissonna. Simone était blottie contre lui, très silencieuse. Il ferma les yeux. La voiture s'arrêta. Il aida Simone à descendre. C'était un jour gris, triste. Des boîtes d'ordures étaient alignées le long du trottoir. La rue était déserte.

— A quand? dit Bernard.

Elle tira vivement une lettre de son sac, la lui tendit et partit en courant. Un instant après, une lourde porte se referma bruyamment. Bernard resta un instant sur le trottoir, étonné, puis remontant dans la voiture, il dit au chauffeur :

“ Terminus Saint-Lazare ”, et ouvrit l’enveloppe.

“ Ceci, Bernard, est une lettre d’adieu, une vraie, vous ne me verrez plus. N’essayez pas d’aller à l’atelier, vous ne trouveriez personne. Ne m’écrivez pas; je ne lirai pas vos lettres. J’ai trop souffert. Je ne veux plus souffrir. Je ne crois pas que vous ayez compris à quel point je vous ai aimé. C’est un peu ma faute; j’ai horreur du mélodrame, de l’emphase, et j’avais pris le parti de plaisanter quand j’étais trop malheureuse. Ce qui est terrible avec vous, c’est qu’on n’a pas de prise. Votre vraie vie est ailleurs et je ne peux pas le supporter. Et pourtant, je vous aime. Je vous aime pour des raisons qui vous étonneraient bien. Je vous aime parce que vos épaules ressemblent à celles des statues égyptiennes, parce que vous êtes naïf, jeune, même dans vos scrupules que je trouve si bêtes. Je vous aime parce que vous m’avez dit sur ma beauté quelques très jolies phrases que vous avez certainement oubliées mais que je garderai, moi, toute ma vie. Je t’aime parce que le plaisir te va bien. Je pourrais aimer jusqu’à votre froideur, mais ce qui m’exaspère, ce qui me détache de vous, c’est quand vous voulez vous convaincre et convaincre les autres que cette froideur sentimentale, cette dévotion à votre métier sont des vertus. Elles vous sont naturelles, mon chéri, et c'est tout. Vous aimez à vous dire que vous étiez né pour être un philosophe oisif, que vous acceptez toute cette activité comme un martyre. Ce n'est pas vrai. Vous aimez ça. Vous êtes né pour ça. Vous m'avez décrit votre grand-père, vous serez comme lui, ce ne sera pas très long. Vous pouvez me croire, je suis très clairvoyante quand il s'agit de vous. Votre abnégation, c'est une forme d'égoïsme, seulement c'est un plus joli nom.

" Cela, je tenais à vous le dire parce que j'admets que vous soyez comme vous êtes, mais il ne faut pas jouer sur les deux tableaux. Beaucoup plus tard, si vous ne m'avez pas tout à fait oubliée (avec toi on ne sait jamais, c'est possible), vous commencerez peut-être à comprendre que vous avez gâché un grand amour et que c'est toujours bien dommage. Vous épouserez une petite fille de là-bas. Elle sera horriblement malheureuse. Elle s'en apercevra peut-être moins que d'autres parce qu'elle ignorera le goût du bonheur. Moi je vous regretterai longtemps, mais mieux vaut un regret qui s'éteint lentement que la vie de doute, d'attente, de déceptions qui a été la mienne depuis que je vous connais. Adieu, mon très chéri; je suis contente d'avoir eu ce courage, je n'ai jamais aimé que toi, je t'aime. "

Bernard relut trois fois cette lettre, puis se trouva devant son hôtel. Il monta dans sa chambre, s'étendit sur son lit sans se déshabiller et pleura un peu. Puis il s'endormit. Il rêva qu'il traversait une salle de tissage et qu'une ouvrière s'approchait de lui. Elle lui montra un numéro de l'*Illustration* qui contenait des reproductions de tableaux. " Voyez-vous, monsieur Bernard, dit-elle, voici le portrait que j'ai fait de vous; ils me l'ont refusé parce que je ne suis qu'une ouvrière. " Bernard regarda le portrait et le trouva très bon; le visage était rude et bienveillant; c'était bien ainsi qu'il se voyait lui-même : " Naturellement, pensa-t-il, si c'était Françoise ou Simone qui avait peint ce portrait, tout le monde l'admirerait, mais parce que c'est une ouvrière, on le refuse.... — Ne vous inquiétez pas, dit-il à la femme, j'écrirai au président de la République. " Elle revint avec confiance à son métier.

Il se réveilla à huit heures. Quand il sortit de l'hôtel il faisait beau et froid; les gens marchaient vite, d'un air gai. Bernard eut envie d'agir, de travailler, et se sentit soudain très vivant. " Mais comment est-ce possible, se dit-il, j'ai un immense chagrin, j'adore Simone, ma vie a perdu tout son sens.... " De longues troupes de jeunes filles sortaient de la gare Saint-Lazare; il les regarda avec plaisir : quelques-unes d'entre elles couraient, maladroites, gracieuses. Il partit, lui aussi, vers la ville, d'un pas sec et décidé. À neuf heures, il était chez M. Roch.

XXVII

Antoine Quesnay présidait la Société des Anciens Combattants et Mutilés de Pont-de-l'Eure ; cela l'obligeait une fois par mois à sortir seul après le dîner pour assister aux réunions. La tradition s'était établie que Bernard, ces soirs-là, dînait chez les Antoine pour tenir compagnie à Françoise. Celle-ci attendait ces soirées avec impatience parce que Bernard en profitait toujours pour l'informer des événements nouveaux de sa vie sentimentale. La liaison de son beau-frère amusait Françoise ; elle aimait à se représenter ce Quesnay tellement Quesnay distrait de son travail par une femme ; elle trouvait aussi dans cette aventure un bonheur un peu semblable à celui que donne un roman. Souvent Bernard n'avait rien à lui dire ; il parlait de l'usine, de musique ; Antoine rentrait vers dix heures sans qu'il eût été question de Simone Beix et Françoise se couchait désappointée. Mais quand

Bernard avait des confidences à faire, elle le devinait déjà pendant le dîner, car il restait alors très silencieux, ne s'intéressait à aucun sujet de conversation, regardait sa montre avec impatience et cherchait à hâter le départ d'Antoine.

Un de ces dîners suivit presque immédiatement la lettre de rupture de Simone. Bernard, dès qu'on fut sorti de table, se mit à marcher de long en large dans la bibliothèque, prenant un livre, le feuilletant, puis le remettant brusquement dans le rayon. Antoine s'attardait; il fumait un cigare et regardait le jardin d'un air de bonheur tranquille. Il avait envie de parler et trouvait les deux autres muets. Enfin il se leva :

— Allons, dit-il, il faut tout de même que je parte... j'ai bien envie de donner ma démission.

— A tout à l'heure, dit Bernard avec empressement.

— Au revoir, chéri, dit Françoise gaiement.

La porte fut fermée avec bruit (tous les Quesnay fermaient les portes avec violence); on entendit le moteur de la voiture, le léger grincement des changements de vitesse, le frottement des pneus sur le sable des allées.

— Une cigarette? dit Françoise.

— Oui, volontiers.... Voulez-vous faire un tour de jardin, Françoise? Il fait délicieux ce soir.

Ils sortirent; le soleil se couchait dans l'axe de la longue allée de rosiers. Les chiens vinrent au-devant d'eux, joyeux; ils se baissèrent pour les caresser, puis partirent en silence vers le verger. Françoise se tourna vers Bernard et sourit; un vent léger et tiède soulevait un peu ses cheveux. Son visage avait une expression interrogatrice et heureuse.

— *Well?* dit-elle.... Quelle grande nouvelle avez-vous à m'annoncer?

— Comment savez-vous que j'ai une grande nouvelle à vous annoncer?

— Parce que vous êtes l'homme au monde qui sait le moins cacher ces choses-là.... Vous avez eu envie de pousser ce pauvre Antoine dehors depuis le moment où vous êtes arrivé.... Alors? Qu'est-ce qui se passe? Vous allez l'épouser? Ce serait rudement bien.

— Épouser qui?

— Qui? Bernard!... Votre amie naturellement.

— C'est tout le contraire, Françoise. Elle m'a quitté.... Oui, avant-hier quand je l'ai ramenée chez elle, elle m'a tendu cette lettre.... Je l'ai apportée pour que vous la lisiez.

Françoise prit la lettre, s'arrêta sous un pommier et commença à lire à voix basse. Bernard debout à côté d'elle essayait de suivre ses impressions sur son visage. Quand elle en vint à la phrase : “ Je t’aime parce que le plaisir te va bien ”, elle soupira. Elle tourna la page, il mit la main sur son épaule pour lire avec elle. Il fut surpris par la sensation de plaisir que lui donna cette tiédeur à travers la soie et retira sa main assez brusquement. Françoise n’avait pas fait un mouvement pour s’éloigner. Ayant terminé la lettre elle la lui tendit.

— Eh bien? dit-il. Qu’est-ce que vous en pensez? Est-ce qu’elle reviendra?

Françoise s’était remise en marche lentement dans l’allée.

— C’est bien difficile à dire.... Je ne crois pas.... Elle paraît très fière, elle ne voudra pas s’humilier. Et d’ailleurs, surtout elle ne vous aime pas.... Ce n’est pas une lettre de femme amoureuse, ça.... Elle écrit trop bien.... Et elle a le courage de vous quitter.

— Je crois que vous vous trompez, dit Bernard.... C’est toujours absurde pour un homme de dire d’une femme : “ Elle m’aime. ” On paraît d’une fatuité incroyable, mais vraiment j’ai des raisons de croire que celle-ci m’a aimé. Sinon pourquoi depuis si longtemps.... Dès que j’avais une heure libre, elle était à ma disposition.... Et puis, je ne peux pas vous expliquer.... Non, seulement, c'est ma faute, j'ai été odieux; je l'ai fait passer après tout le reste de ma vie, après l'usine, après les clients.... Dieu que j'ai été bête quelquefois! Un jour je me suis arraché, mais brutalement, à cette femme si belle pour aller discuter avec un filateur.... Pendant la grève je ne lui écrivais même pas.... Je répondais à des lettres de quatre pages par des télégrammes.... Si elle ne m'avait pas aimé, il y a deux ans qu'elle m'aurait écrit cette lettre.

— Si elle vous avait aimé, elle ne vous l'aurait jamais écrite.... Oui, mon petit Bernard, vous devez être un amant odieux, avec votre air froid, vos doctrines, vos systèmes, votre morale, mais une femme qui aime en supporte bien d'autres.... Moi si j'aimais un homme....

— *Si* j'aimais, Françoise!... Mais vous aimez un homme j'espère.... Et Antoine?

Elle secoua la tête avec impatience.

— Vous ne comprenez pas les femmes, Bernard. Vous ne les comprendrez jamais.... Oui, c'est entendu, je suis mariée, j'aime bien mon mari, j'aime bien mes enfants, j'aime bien ma maison.... Et ce sera toujours pour moi la vie.... Mais enfin croyez-vous que je ne sache pas qu'il y a autre chose... un sentiment tellement fort que famille, et fierté, et point d'honneur, tout est balayé.... Cela vous étonne de m'entendre dire ces choses; je sais que vous n'aimez pas; vous êtes pudique; vous êtes Quesnay.... Mais c'est de l'hypocrisie.... Enfin vous savez ce que c'est que le désir, pour vous, pour l'homme?... Eh bien, pour la femme, c'est la même chose, mon petit, exactement la même chose, et quand cela est, je crois qu'il n'y a rien à faire, et si votre Simone tenait à vous, vous auriez pu l'humilier, la négliger, la tromper, elle ne vous aurait pas écrit cette lettre.... Jamais.

Pour passer du verger au potager l'allée se faisait étroite entre deux haies et leurs corps se trouvèrent rapprochés; Bernard sentit contre son bras plié le contact ferme d'un jeune sein. Il prolongea ce contact un instant de plus qu'il n'eût été nécessaire. Quand le terrain plus ouvert les sépara, il respira longuement. Une longue bordure d'œillets blancs répandait dans l'air un parfum fort. Le soleil avait disparu et dans le crépuscule les chauves-souris tournaient.

— Et vous? dit Françoise, penchée vers les œillets.... Vous la regrettez?

— Je ne sais pas.... J'ai le sentiment d'avoir perdu quelque chose de très beau et de très précieux.... Dès que je suis seul j'imagine ce corps.... Je me dis : “ Je ne le verrai plus jamais ” et je peux à peine le croire.... J'aurais besoin d'elle, terriblement.... Et pourtant, en même temps, j'ai comme une impression de soulagement.... Je suis libre.... A Paris, quand approchent cinq heures, je n'ai plus besoin de me dire : " Je vais être en retard, Simone sera fâchée.... " Je peux faire mon travail tranquillement, sans arrière-pensée. Si elle acceptait de recommencer à me voir, elle ne me trouverait pas changé.... Je serais aussi insupportable.... Je serais le même.

— Mais pourquoi, Bernard? Puisque vous savez que c'est absurde.

— Mais parce que je ne peux pas être autrement, parce qu'il faut que les choses soient bien faites.... Vous vous rappelez cette histoire de Kipling : *L'Homme qui voulut être Roi?*... Non?... Mais si, vous savez, cet aventurier anglais qui devient roi d'un petit peuple de l'Himalaya et qui est profondément respecté jusqu'au moment où il veut prendre une femme.... Alors, ses sujets s'aperçoivent qu'il est un homme.... Voilà.... Enfin, il y a un fait, j'osais très bien dire à Simone : " Je ne viendrai pas samedi parce que mon grand-père a besoin de moi à Pont-de-l'Eure. " Je n'aurais jamais osé dire à M. Achille : " Je ne rentrerai pas lundi parce que ma maîtresse a besoin que je déjeune avec elle.... " Vous comprenez la nuance.

Maintenant, dans l'allée, il la voyait à peine

mais souvent en passant devant un groseillier un peu plus épais, il était obligé de la frôler. Elle trébucha un peu, se rattrapa à son bras et y resta accrochée.

— Mais non, dit-elle, je ne comprends pas.... Vous dites : il faut que les choses soient bien faites. Mais pourquoi plutôt celles de Pont-de-l'Eure? Il n'y a aucune raison.... Qui a décrété que vous êtes lié à Pont-de-l'Eure pour l'éternité?... Vous êtes né là, voilà tout. C'est un hasard. Si ce n'était pas vous, ce serait un autre.

— Ce n'est pas un raisonnement, dit Bernard.

Le tour du jardin les avait ramenés à l'étroit passage entre les buissons qui, sous la voûte des tilleuls, était maintenant comme un noir tunnel. Ils s'y engagèrent. Bernard ayant heurté du front une branche avança les mains, trouva les hanches de Françoise et brusquement éprouva un désir fou de la serrer contre lui. Il sentit une tête tomber sur son épaule. Il appuya ses lèvres au hasard et rencontra la fraîcheur délicieuse, humide, d'autres lèvres. Brusquement il oublia le monde.

— Hou! Hou! cria une voix dans le lointain.

C'était l'appel familier d'Antoine à Françoise. Elle se dégagea lentement et sans aucune gêne, très naturelle, répondit :

— Hou! Hou!

Puis elle avança plus vite. Au loin on entendait les pas d'Antoine sur le sable. Il cria :

— Où êtes-vous?

— Mais ici, dit Françoise. Traverse la pelouse.

Bernard marchait derrière elle, furieux contre lui-même et pensait : " Qu'est-ce qui nous a pris? " Pour ne pas revoir Antoine aux lumières, il lui dit bonsoir dans la nuit et refusa de rentrer dans la maison.

XXVIII

Chez Quesnay et Lecourbe, les tisserands ne travaillaient plus que trois jours par semaine. Comme un bon médecin se réjouit d'entendre les battements, même faibles, du cœur, Bernard, parcourant les salles, tendait l'oreille pour écouter avec un plaisir délicieux les rares métiers survivants. Trop bien informé des forces véritables de l'usine agonisante, il pensait aux quantités si petites qui restaient à fabriquer avant l'arrêt mortel.

— Ces métiers pourront tisser des gabardines quinze jours encore.... Pour ces femmes, il me reste cent pièces de soldat serbe.... Après, rien.... Elles ne se doutent pas de la fragilité de tout cela. Que faire? Où chercher?

Les ouvriers le regardaient passer avec un air d'interrogation et de confiance, comme les civils qui, dans une ville bombardée, rencontrent un officier. En temps de paix, ils l'ont souvent jugé sans indulgence; ils ont regardé son uniforme avec des souvenirs de grève, de caserne. Maintenant, heureux de le voir, ils espèrent qu'il saura les défendre. Ce changement d'attitude, si saisissant, si profond, était bien agréable à Bernard.

Toutes ses forces furent tendues vers un but petit, que jadis il eût jugé médiocre : trouver des acheteurs, tourner. En France, rien à faire. Mais en Amérique, en Europe orientale, dans les pays à change haut du Nord, peut-être la situation était-elle meilleure.

Il en parla à M. Achille qui le regarda avec indignation.

— Des exotiques? Jamais! Plutôt fermer.

En vain Bernard pendant plusieurs semaines attaqua l'ancêtre.

— Non, non, disait-il.... Nous ne l'avons jamais fait.

— Mais enfin, disait Bernard, l'Angleterre, les États-Unis ne sont pas des pays de sauvages ni de brigands. Il s'y fait des milliards d'affaires. Qu'est-ce que vous craignez? De ne pas être payé? Mais il y a des tribunaux là-bas comme ici.

— Des gens qu'on ne connaît pas, grogna M. Achille.

Les aventures l'effrayaient plus que la mort. Enfin le petit-fils trouva l'arme utile.

— M. Pascal marche maintenant cinq jours par semaine, lui.... Il a pris de très gros ordres en Hollande et en Roumanie.

— Pascal? dit le vieillard en dressant l'oreille. Ah! il marche cinq jours? Il ne m'en avait rien dit.

Le lendemain, sans que Bernard eût reparlé de ce sujet interdit, le vieillard lui-même commença timidement :

— Au fond, la Hollande, ce n'est pas très loin.... Tu pourrais toujours aller voir.

Avant de partir, Bernard dut aller dire adieu à Françoise. Il ne l'avait pas revue depuis ce baiser dans la nuit. La vérité était qu'il l'avait fuie. Deux fois, il avait refusé de dîner chez elle; à l'usine il l'avait aperçue de loin, mais au lieu de monter à la pouponnière pour la rencontrer, comme il faisait toujours, il s'était réfugié au quatrième étage dans l'atelier des épinceteuses et n'avait reparu en terrain dangereux qu'après une longue tournée. Il ne savait que lui dire. Que pensait-elle? S'attendait-elle à ce que ce geste fortuit marquât le commencement d'un amour véritable? Souhaitait-elle d'autres soirées semblables, des rendez-vous plus secrets, ou au contraire avait-elle été comme lui-même surprise par l'événement?

“ Mais qu’est-ce qui nous est arrivé? se répétait-il.... Jamais un acte de moi n’a eu aussi peu de rapports avec moi.... Je ne puis même pas avoir de remords.... A aucun moment je n’ai pensé : “ Maintenant je vais embrasser Françoise.... ” Tout d’un coup je me suis constaté l’embrassant. ”

Et pourtant il avait été un peu coupable. Il avait souhaité et cherché pendant toute cette soirée des contacts imperceptibles, mais délicieux. Mais était-ce un crime? Était-ce déloyal? Si peu. Ce qui eût été déloyal, ç’aurait été de continuer consciemment ce qu’il avait commencé sans le savoir. Ce qu’il fallait, c’était oublier complètement cette minute. Elle n’avait pas de lien avec le reste de sa vie; on pouvait l’en arracher sans rien détruire. Malheureusement, il trouvait un plaisir si vif à l’imaginer qu’il y rêvait parfois en plein travail. Tout d’un coup, au milieu d’une allée de métiers, entre des foulons d’où sortait une eau jaunâtre, il sentait la fraîcheur humide de ces lèvres et ce corps ployé dans ses bras.

Ce qui l’étonnait aussi c’était de ne pas se sentir différent en présence d’Antoine. Il n’avait aucun effort à faire pour être naturel. Antoine, son frère, Françoise, sa belle-sœur, semblaient n’avoir aucun rapport avec les personnages de cette minuscule aventure. Il continuait à parler avec Antoine des provisions de charbon à faire avant la hausse, de la nouvelle collection d'hiver, des prix de revient, sans aucune arrière-pensée. Et c'était cela le réel, c'était l'union profonde du travail en commun, de toute cette longue vie fraternelle, des lamentations alternées sur la sottise de M. Lecourbe, les soucis du chômage, l'usine.

L'allée dans la nuit, cette jeune femme amoureuse étaient comme ces rêves dont l'image furtive reparaît quelquefois au milieu des choses véritables et que l'on chasse avec un sourire.

Il craignait Françoise. Les obscures rancunes de son grand-père envers la race Pascal-Bouchet flottaient sans qu'il le sût autour de l'idée qu'il se formait d'elle. Race folle, légère, incertaine. Sur la loyauté avait-elle les fermes doctrines des Quesnay? Peut-être lui dirait-elle : " Nous nous aimons, qu'importe le reste?... Antoine? Je ne l'aime plus et d'ailleurs Antoine peut tout ignorer. " L'amour.... Les femmes employaient toujours ce mot comme s'il expliquait quelque chose. Mais qu'était-ce que l'amour? Il y a le désir qui est fort mais qu'on peut dominer; il y a aussi l'affection, l'amitié, la foi conjugale et fraternelle. Comment vivre en société si l'on ne peut avoir confiance en son frère, en sa femme? Oui, tout engagement se heurte à une résistance du corps, mais qu'est-ce qu'un homme incapable de s'engager et qu'y a-t-il de plus méprisable?

Quand il s'embarquait sur ce courant d'idées il détestait Françoise.

La veille de son départ pour la Hollande, Antoine lui dit :

— Je pense que tu iras dire au revoir à Françoise? Elle te réclame. Veux-tu venir dîner?

— Non, je te remercie, dit Bernard, ce soir je veux faire mes bagages, mais je tâcherai de passer chez vous vers cinq heures.

Elle le reçut avec une douceur triste. Tandis qu'il parlait, assez mal, de son voyage, de la Hollande, de l'espoir qu'il avait d'en rapporter du travail, elle le regardait d'un air interrogateur et mélancolique, sans répondre. Enfin elle lui dit :

— J'avais préparé une lettre pour vous, Bernard.... pour vous expliquer... Puis je l'ai déchirée, c'est trop difficile.

— Vous avez eu raison, dit-il.

Puis il lui parla de ses enfants, impitoyablement. Elle semblait souffrir, mais ne fit aucun effort pour revenir à ce sujet.

Amsterdam. Cossues, les maisons à pignons se reflètent dans l'eau lisse des canaux. Sur une péniche immense, un godilleur transporte une minuscule balle de thé. Des portes de bois massif, vernies par un long frottement, défendent l'entrée des " comptoirs " centenaires. Les hommes fourmillent dans les rues sans voitures.

Kalverstraat, grouillement riche, évoque des soukhs orientaux. Des odeurs d'épices dans un magasin sombre, un type mulâtre entrevu au coin d'une ruelle, la photographie d'une succursale exotique à la vitrine d'un magasin, rappellent que ces bourgeois possédèrent, les premiers, l'empire des Indes. Les richesses de Java ont meublé ces maisons.

Le représentant hollandais s'excuse par avance des affaires médiocres.

— Beaucoup de stocks. La baisse effraie les acheteurs. Les Allemands reviennent. Ici : Nederlandsch Maatschappij... énorme affaire... beaucoup de stocks... nous entrerons seulement dire bonjour. L'acheteur, M. Loewekamp, est un ami : je fais le billard au café avec lui tous les soirs.... Gœde morgen, herr Loewekamp.... Der herr Quesnay van Pont-de-l'Eure....

— Wij koopen niet, dit M. Loewekamp, gros homme au crâne rasé.

Puis, dans un français difficile, mêlé d'anglais, il s'excuse avec politesse.

— Situation difficile.... Plus tard.... *Another time.*

Bernard sourit, aimable; le gros homme sourit aussi. La porte vernissée se rouvre.

Son paquet d'échantillons sous le bras, le jeune Français marche à nouveau d'un pas vif le long des beaux canaux luisants. Le Hollandais parle :

— Ici, on aime la France. Moi, je connais Paris : la rue Blanche; vous connaissez la rue Blanche?... Sur cette maison, il y a une plaque à cause d'un Français : “ Ici habita René Descartes.... ” Qui est-ce Descartes? Vous connaissez? Ah!... Et M. Langlois, commissionnaire, rue d'Hauteville, vous connaissez aussi? Ici nous entrons.... Export Maatschappij.... Très grosse business.... Mais beaucoup de stocks.... Nous voulons seulement dire bonjour : l'acheteur, M. Croninghem, est un ami; je fais la partie de quilles avec lui. Il a marié une belle femme.

— Wij koopen niet, dit M. Croninghem, homme brave et bienveillant au crâne tondu.... Plus tard....

Encore des canaux, des étages, des comptoirs cossus : des tramways pris au vol; des cloîtres charmants; des syndics de drapiers en chair véritable, palpant de leurs mains expertes les draps tissés par les femmes normandes; des marchands méfiants et bienveillants, méprisant les laines médiocres.

— Ici la qualité.... Pas le prix.... Et des dessins sombres, simples.... Ici, il faut travailler pour mode du pays. Vos marchands de Paris nous envoient des jupons! Les hanches de nos femmes les font craquer.... Ici, de fortes femmes, bien sportives, Vous venez prendre un curaçao chez Focking? Tout le monde va, les banquiers et les cochers.... Ensuite, nous verrons Sitjhof.... Énorme affaire....

De ce pays solide, Bernard emporte des promesses sans mensonge, un peu de travail immédiat. La fille Duval nourrira ses gosses en tissant des pantalons pour les jardiniers de Haarlem; le père Leroy visitera les flanelles blanches qui contiendront la poitrine robuste des belles patineuses d'Amsterdam.

M. Achille, méfiant, voit avec inquiétude partir son drap vers tant d'adresses étranges :

— Loewekamp? Groninghem? Sitjhof? Tu es sûr que ce sont des maisons anciennes, établies?

Bernard décrit pour la dixième fois ces marchands robustes et semblables à son grand-père. D'ailleurs, presque aussitôt, les chèques arrivent. Au nom des banques familières, M. Achille s'apaise.

— Puis-je aller en Angleterre?

— Bonnes affaires!

C'est sa façon de dire bon voyage.

Londres. Les taches rouges des automobiles, les noirs bleutés des policemen (“ Tout ce drap noir, d'où vient-il? ” pense Bernard) animent le gris de la Cité. Du sommet d'un “ bus ” il admire les vieilles maisons du Strand. De vaporeuses traînées noires et blanches, déformant les étroites maisons de pierre, font de la ville de commerce une ville de rêve. A côté de lui, son “ agent ”, un gentleman, ancien capitaine, énumère non sans érudition, les vieilles tavernes, les enseignes illustres.

Dans les magasins, plus bourrés de pièces que ceux de Paris, on entre sans toucher son chapeau. Un vieux drapier, d'une dignité comique et charmante, penche ses favoris courts et ses lunettes d'écaille sur les tissus français.

— *Well, sir*.... Ceci peut m'intéresser, non pour le Home trade, mais pour le Canada et le Japon.

Épris de belle laine, comme d'autres de sa race aiment le beau bois, le beau cuir, il palpe avec amour une ratine souple.

— *Very fine, indeed.... I'm sorry I can't buy now*. Venez déjeuner à mon club, mister Quesnay.

Sur une table d'acajou massif (“ Regardez cette

table, mister Quesnay, elle a trois cents ans "), il force Bernard à boire plusieurs verres d'un Porto 1856. (" Regardez, mister Quesnay, les portraits de nos présidents. Celui-là est de Reynolds; celui-ci de Sargent. ") Par ces libations, le vieux gentleman s'acquitte, sans achats dangereux, de ce qu'il pense devoir à l'amitié française.

Après le lunch, le " capitaine dans l'armée " promène Bernard dans les grands magasins, admirables d'ordre et de richesse, des Iles Fortunées. Les vendeuses, jolies comme des Gaiety girls, sourient à l'accent français. Les acheteurs sont plus encourageants.

— Serge?... Gabardine?... *All right.* Peut-être nous pouvons acheter.

Sur le pont du paquebot qui le ramène en France, Bernard, joyeux, regarde Dieppe, les maisons du Pollet, les tours du Casino, les fils minces du sémaphore grandir, sortir de la brume, se mettre au point sur l'écran du ciel pur. Animé par l'air vif et salé, il imagine avec force son retour à l'usine.

— Trois cents pièces!... Pas si mal par le temps qui court. M. Achille daignera grogner de satisfaction. Antoine va être enchanté.... Et le citoyen Renaudin dira que nous faisons tous nos efforts pour prolonger le chômage! Les hommes sont assez comiques.... Encore un quart d'heure.

Enfonçant solidement sa casquette, il serra autour de ses genoux la couverture de toile goudronnée et essaya de continuer son livre. C'était *Le Prince*, qui devenait, depuis quelque temps, l'un de ses favoris.

" *De la cruauté et de la clémence et s'il vaut mieux être aimé que haï.* — Je passe maintenant aux autres qualités requises dans ceux qui gouvernent. Un prince, il n'y a aucun doute, doit être clément, mais à propos et avec mesure. César Borgia passa pour cruel, mais c'est à sa cruauté qu'il dut l'avantage.... "

Malgré lui, sa pensée revint à ses trois cents pièces.

— Cinquante chez Selfridge.... Cent chez Scott.... Cent chez Graham.... Cinquante chez Robinson.... Cela fait bien trois cents. Je vais monter les serges au tissage des femmes et les cuirs bleu sur les métiers du bord de l'eau.... M. Cantaert pourra....

Ce fut en vain qu'il essaya de revenir à des pensées plus générales.

— Simone.... Les seuls êtres qui puissent aimer vraiment sont ceux qui donnent toute leur vie à l'amour.... Mais est-ce naturel?... Je ne crois pas.... Cinquante chez Selfridge.... Cent chez Scott....

Le bateau glissait le long de la jetée. Une mousse odorante et verte tapissait les bois goudronnés.

— Cinquante chez Selfridge.... Cent chez Scott....

Bernard marmottait son bréviaire.

XXIX

— M. Desmares, vous direz au chef teinturier que j'en ai assez.... Voilà dix pièces pour compte aux États-Unis, parce que la nuance n'est pas solide.

— Ce n'est pas sa faute, monsieur Bernard.... Les produits de teinture ne valent plus rien. Ces gris roses et ces beiges, personne ne peut les faire.

— Ça m'est égal, je ne suis pas teinturier. Moi, je ne puis juger que les résultats. Monsieur Leclerc, j'ai ce matin un client roumain qui se plaint des défauts de tissage dans vos gabardines. Je vous ai dit que je ne veux pas plus de trois défauts par pièce. Si vous avez des tisserands qui ne savent pas leur métier, qu'ils aillent l'apprendre ailleurs.

— Je suis au courant, monsieur Bernard.... Il y a une passe de mauvais fil....

— Ça m'est égal; à vous de surveiller le fil quand il arrive. Il me faut de bonnes pièces. D'ailleurs, à l'avenir, je les verrai moi-même. Sur tous les marchés étrangers, la concurrence est terrible. Les Anglais, les Allemands sont partout. Il n'y a qu'un moyen de réussir, c'est de faire bien.... Et puis, il faut me faire rentrer mes pièces. En temps de baisse les clients ne demandent qu'à supprimer; il faut livrer à temps.

— Faire rentrer les pièces pressées, monsieur Bernard? C'est facile à dire, mais vous n'êtes pas dans la cuisine. Vous accrochez une carte : " Pressée " sur une pièce.... Aux dégorgeuses, on en met quatre à la fois dans une machine et on est obligé de décrocher votre carte....

— Il est bien facile de la remettre ensuite.

— Elle tombe dans les mains d'un bonhomme qui s'en fiche, ou qui ne sait pas lire. Il faudrait être derrière eux toute la journée. A la teinture, le bonhomme auquel vous réclamez un gris a ses baquets en bleu, en vert, vous croyez qu'il va tout arrêter pour une pièce pressée? Mais, monsieur Bernard, il aurait tort de le faire! Non, non, ce n'est pas facile!

Il soupira, fatigué, nerveux.

(" Au fond, pensa Bernard, il a raison. ") Mais il dit tout haut : " Tout ça m'est complètement égal, monsieur Leclerc. Il me faut mes pièces; le reste vous regarde.

— Il se forme, dit M. Leclerc en sortant du bureau.

— Oui, dit M. Desmares. Les petits oiseaux sifflent comme on leur a appris à siffler.

Eux aussi, indulgents pendant les années d'abondance, parce qu'on l'était à leur égard, devenaient sévères pour la qualité du travail et s'émerveillaient de trouver les ouvriers, hier encore si rétifs, dociles à leurs exigences.

— C'est extraordinaire, dit M. Desmares. On leur demande des choses qui, il y a six mois, auraient amené une révolution.... Personne ne bouge.... On est content comme ça.... Les hommes croient tout conduire, mais c'est le travail qui les mène.

Bernard, heureux, voyait s'éloigner et disparaître dans un passé déjà presque invisible ce nuage d'hostilité qui avait, depuis son retour, enveloppé ses démarches et ses intentions.

A sentir reposer sur ses jeunes épaules le poids de cette machine immense dont vivaient des hommes si nombreux, il éprouvait une joie absurde et enivrante.

La chute de Vanekem, la baisse de la laine, la

débâcle de la Bourse avaient ouvert une énorme brèche dans la fortune des Quesnay. Mais la perte d'une richesse artificielle, en les rapprochant de l'humanité moyenne, leur rendait la douceur des souffrances grégaires, des malheurs partagés. Les ouvriers, privés soudain d'une partie de leurs salaires et de l'abondance relative dans laquelle ils avaient vécu quelques années, trouvaient une puissante consolation à leurs malheurs en imaginant ceux de leurs patrons.

— Oui, disait Heurtematte à Bernard, pour celui qui en a des millions et des millions de kilos, ça doit être quelque chose, cette baisse.

— C'est assez dur, disait le patron fièrement (comme un blessé qui montre sa blessure). Mais c'est pour vous que c'est le plus pénible. Qu'est-ce que vous gagnez par semaine en ce moment? Cinquante, soixante francs, au lieu de cent trente. Quel trou, dans un ménage!

— Pour sûr.... Celui qui a vu venir ça et qui a mis quelque chose de côté s'en tire, mais les autres.... J'ai une belle-sœur, monsieur Bernard, une veuve, elle doit laisser ses petits au lit tout le jour, parce qu'elle n'a pas de chemise à leur mettre. Moi, je l'aide autant comme je peux, mais ma femme attend son septième, elle aussi.... C'est pas le moment, que vous me direz. Mais vous savez comment qu'c'est.... On croit faire d'un sens, on fait de l'autre.... Alors, vous comprenez avec une paie de trois jours, on n'va pas loin.... Enfin, l'ouvrier a eu de beaux moments; il a goûté à des choses dont il n'avait pas l'habitude.... C'est toujours un bon souvenir....

Tous deux, savourant sans le savoir la douceur de l'accord retrouvé, oubliaient de bonne foi que la prochaine vague de prospérité ramènerait avec elle la discorde et goûtaient la douceur de croire spontanés les sentiments que la richesse décroissante des hommes abandonnait en se retirant, comme la marée descendante délivre pour quelques heures l'odeur des varechs et des algues.

XXX

Au temps du Paradis des Fous, M. Achille et M. Pascal avaient longuement raillé la sottise de leur âpre concurrence de jadis : “ La France est grande, il y a de la place pour tout le monde. ” Sur tous les points qui les avaient divisés pendant de si longues années, ils s’étaient soudain mis d’accord avec une merveilleuse facilité.

D’un commun accord, ils avaient diminué les escomptes, supprimé les crédits, refusé les échantillons gratuits. Ils s’étaient félicités de la fermeté avec laquelle ils avaient su mettre fin en quelques mois à des abus centenaires.

Surtout ils s’étaient entendus pour ne plus se disputer certains clients qui, aux jours presque oubliés de l’avant-guerre, les faisaient “ marcher l’un par l’autre ”.

— A quoi bon? disait M. Achille.

— *Quid prodest?* approuvait M. Pascal.

Une convention était donc intervenue entre les deux vieux maîtres de la laine, convention par laquelle le royaume du drap était partagé par eux en « sphères d'influence » inviolables. En particulier, M. Achille devait vendre à Roch et Lozeron, tandis que M. Pascal conservait Delandre. Ils attendaient de cette entente de grands bienfaits.

Cependant M. Roch, observateur méfiant et sagace, n'avait pas tardé à remarquer que les prix de Pascal Bouchet demeuraient, avec une étonnante persistance, légèrement au-dessus de ceux de Quesnay et Lecourbe. Tant qu'il eut besoin de « ces messieurs », il se garda de rien dire et attendit son heure. Quand elle vint, cet habile manœuvrier renouvela contre les deux associés la manœuvre favorite de l'Empereur et, pour les combattre, les divisa.

Au printemps, les femmes, suivant la coutume de leur sexe, avaient adopté un uniforme. C'était le tailleur de fil à fil noir et blanc, étoffe difficile à fabriquer, triomphe de M. Achille. M. Roch, qui désirait lui en commander une centaine de pièces, vint à Pont-de-l'Eure et trouva le prix trop élevé.

— Monsieur Achille, vous savez qu'avec vous je ne marchande pas, mais faites bien attention;

je trouve de très beaux fil à fil à deux francs au-dessous du vôtre.

— Impossible.... Ou alors, c'est une camelote qui n'a pas l'apprêt de la Vallée.

— Je vous demande pardon, dit M. Roch mystérieux. C'est une marchandise qui ressemble à la vôtre comme une sœur, et qui n'est pas apprêtée loin d'ici.

— Pascal Bouchet? demanda M. Achille qui leva les sourcils, mordu tout à coup par un soupçon affreux.

M. Roch écarta les mains et sourit d'un air discret : c'était une méthode ingénieuse qu'il avait pour insinuer le faux sans mentir, M. Achille vit rouge.

— Cet homme est incorrigible, dit-il amèrement. Son père était un fourbe; son grand-père était un fourbe. Rien à faire avec lui.... Il vous cote deux francs de moins?... Dites-lui de ma part que, quel que soit son prix, le mien est de dix centimes au-dessous.

Le soir même, il écrivit à M. Perruel, son représentant à Paris, d'aller montrer la collection à Delandre, client personnel, chasse gardée de M. Pascal.

Ce fut la fin de cette longue trêve. Dès que M. Pascal apprit ce qu'il pouvait à juste titre considérer comme une trahison, puisque lui-même était innocent, il vit aussitôt ses griefs d'avant-guerre, encore vifs sous la cendre, briller d'un feu sombre. La douceur de la haine et le désir du combat animèrent ce vieux lutteur. Une obscure histoire de pardessus, un affreux drame de flanelles resurgirent dans ses rêves, le réveillèrent au milieu de la nuit, haletant, furieux, disant son fait à un M. Achille spectral qui s'évanouissait avec l'aube. Il partit pour Paris, courut chez Roch et Lozeron et leur offrit mille pièces à leur prix, quel qu'il fût. C'était la guerre.

Bientôt Françoise dut écouter les plaintes alternées et les discours injurieux de son père et de M. Achille. Chacun des deux vieillards s'arrangeait pour venir la voir à l'heure où il savait l'autre absent. Quand le hasard les faisait se rencontrer, tous deux prenaient la fuite.

Allant bravement de l'un à l'autre camp, elle essayait de ramener la paix. En vain dit-elle à M. Pascal :

— Je vous assure qu'il n'y a là qu'un malentendu. J'ai interrogé Antoine et son grand-père; ils sont de bonne foi et croient au contraire que vous avez manqué à vos engagements....

— *Arcades ambo*, dit M. Bouchet... je leur ferai voir de quel bois je me chauffe.

En vain supplia-t-elle M. Achille :

— Mon père affirme que c'est par votre faute que la lutte a recommencé.... Il paraît sincèrement convaincu de son bon droit. Pourquoi ne pas vous expliquer avec lui? Puis-je vous inviter à dîner ensemble?

— Non! Non! gronda M. Achille. Je n'ai nul besoin de ses explications. Je le connais depuis quarante ans, votre père, ça me suffit.

Après le départ de l'ancêtre, Françoise regarda longtemps son mari avec cet air de sérieux intense qui effrayait toujours Antoine.

— Pourquoi n'as-tu rien dit? demanda-t-elle enfin.

— Mais que veux-tu que je dise? Tu connais grand-père.

— Oui, mais toi.... Enfin tu connais le Pacha, tu sais bien que c'est l'homme le plus honnête de la terre. Il est incapable....

— Mais naturellement.... Le Pacha est exquis, je l'aime toujours autant.... Il n'y a rien de changé.

— Pourquoi ne l'as-tu pas dit?

Il se leva, s'agenouilla devant la petite bibliothèque basse et se mit à ranger des livres.

— Je ne peux pas, dit-il d'un air faussement dégagé, retrouver ce bouquin de Siegfried : *Le Tableau politique de la France de l'Ouest*.... Est-ce que....

— Antoine, dit Françoise avec passion, je ne peux pas te supporter quand tu manques de courage.

Il se retourna, toujours accroupi.

— Mais quoi? Mais quoi? dit-il. Ah! Tu es terrible.... Pourquoi veux-tu faire un drame de tout?... En quoi ces histoires d'affaires ont-elles une importance pour toi? Ne t'en occupe pas. Nous verrons ton père chez lui, à Fleuré, c'est la même chose.... Au contraire, il est très désagréable pour toi d'assister à ses querelles avec grand-père. Il vaut bien mieux les séparer le plus possible....

— Je ne veux pas, dit Françoise. Je trouve cela bête et lâche. (Elle était debout maintenant, elle avait l'air de brandir une petite lance d'amazone, elle était très belle. Antoine voyait tout cela.) Oui, lâche.... Il est certain que, dans cette discussion, quelqu'un a tort; moi je veux savoir qui; je veux que le coupable fasse des excuses gentilles, qu'on les accepte gentiment et qu'on puisse vivre en paix sans que ton grand-père et même Bernard aient l'air de me regarder comme si j'était la fille d'un monstre.

Antoine soupira et ne répondit rien. Puis ayant trouvé le livre qu'il cherchait, s'assit dans un fauteuil et essaya de lire. Sur ces caractères durs et lisses, Bernard, Françoise, il se sentait sans prise....

C'était curieux cette théorie de Siegfried sur la superposition de la carte physique et de la carte politique, curieux et vrai. Ainsi à Pont-de-l'Eure.... Il souleva prudemment les paupières pour voir ce que faisait Françoise. Il pensait au phare de la Hève qu'il avait vu paraître et disparaître pendant cette nuit de Deauville, au sable, aux étoiles. Quelle douceur il avait alors trouvée dans une humiliation héroïque.

— Elle ne lit pas vraiment, elle est trop agitée.... Il faut lui parler.... Comment commencer?

Il sentait très bien que plus le silence se prolongeait, plus la querelle prenait d'importance. Mais elle ne leva pas les yeux, il ne trouva pas de « rentrée » et ils se couchèrent sans avoir découvert le moyen de s'adresser une parole, bien qu'ils l'eussent désiré l'un et l'autre. Le lendemain matin, au réveil, Françoise fut aimable et même gaie et ne fit aucune allusion à la discussion du soir. Mais, après le départ d'Antoine, elle téléphona à Bernard de venir déjeuner. De plus en plus il semblait la fuir.

Le vent courbait sous la pluie balayée les squelettes noirs des rosiers. Les feuilles des sycomores et des tilleuls, déjà pourrissantes, formaient sous les pas comme un feutre doré. Serrant autour de lui son caban ciré, Bernard, penché en avant pour protéger son visage ruisselant, suivit lentement la longue allée.

Après le déjeuner sa belle-sœur vint à côté de lui sur un divan tandis qu'Antoine allumait silencieusement sa pipe.

— Il y a une chose, Bernard, dont je voudrais vous parler.... C'est cette stupide brouille entre mon père et vous tous. Je ne sais qui a tort, qui a raison, mais il semble que tout cela est bien puéril.... Et vous comprenez comme c'est ennuyeux et même pénible pour moi.

Elle le regarda les yeux dans les yeux; mais il refusait de la prendre au sérieux et de comprendre à quels souvenirs elle essayait en vain de faire allusion.

— Pauvre Françoise! dit Bernard en souriant avec gêne, Troyenne captive au milieu des Grecs! Vous êtes charmante, fille de Priam, mais votre père nous a provoqués. Nous lui taillerons des croupières.... Non, sérieusement, Françoise, tout cela ne change rien à notre affection pour vous, mais il faut maintenir les affaires en dehors de la zone des affections.... dans l'intérêt même des affections.

Le ton voulait être celui de la plaisanterie agréable, mais elle connaissait assez l'âme des Quesnay pour comprendre qu'elle perdait son temps.

Lasse des plaintes des chefs ennemis, elle alla s'asseoir au piano. Un air fantastique, brisé, mélancolique, exprima sa tristesse ironique.

Allongé dans un fauteuil, Antoine feuilletait un catalogue de machines-outils; debout près de la fenêtre, Bernard regardait dans une vague rêverie les prairies jalonnées de pommiers noirs qui descendaient en pente douce vers Pont-de-l'Eure.

Brusquement, de la haute couronne des cheminées, un mince jet de vapeur blanche monta vers les nuages; le sifflet prolongé de l'usine couvrit le chant du piano. Bernard s'avança, frappa sur l'épaule de son frère et, sans le savoir, d'un mouvement rapide du poignet, remonta une machine invisible.

XXXI

Françoise ne parlait plus à Antoine de la dureté de M. Achille, de la froideur de Bernard; elle était d'une politesse exacte et mélancolique. Mais Antoine savait que derrière ce rideau de gentillesse passaient des ombres hostiles et silencieuses. A Noël, il lui proposa de l'emmener à Paris pour quelques jours; elle accepta avec joie.

— Votre sœur vient à Paris? dit Jean-Philippe Montel à Hélène de Thianges.... Si vous ne m'invitez pas à dîner, je ne vous reparlerai plus.

Hélène rit et promit. Mais pour éviter une soirée pénible avec Antoine Quesnay, elle prit une loge à l'Opéra-Comique où l'on jouait *Pelléas*. Ils arrivèrent en retard, tous d'assez mauvaise humeur. Françoise en voulait à Hélène d'avoir réveillé, par une invitation maladroite, le souvenir oublié d'une querelle; la présence de Montel ne lui faisait aucun plaisir. Antoine, qui croyait le contraire, souffrait. Thianges n'aimait pas cette musique. Hélène, seule, était tranquille et gaie. Elle n'avait pas de passions violentes et traitait la vie comme un spectacle.

Les chuchotements pour régler les places agacèrent Antoine.

— Mettez-vous donc à côté de Françoise, murmura sa belle-sœur. J'ai vu ça dix-sept fois.

— Mais non, dirent ensemble Antoine et Françoise, chacun des deux légèrement vexé du " Mais non " de l'autre. Enfin Antoine s'assit parce que devant eux les spectateurs se retournaient avec fureur.

La musique était une mélopée très douce qui soulignait à peine les paroles. " *Je ne suis pas heureuse ici* " chantait Mélisande. Dans la pénombre de la scène, ce profil encadré de cheveux blonds rappelait étrangement Françoise. " *Je préfère vous le dire aujourd'hui, seigneur, je ne suis pas heureuse ici.* " Antoine avait gardé l'extrême naïveté des hommes qui vont peu au théâtre; il ignorait le nom de la chanteuse et jusqu'au sujet de *Pelléas*. Une femme blonde chantait avec une tristesse enfantine et désespérée : " *Je ne suis pas heureuse* " et il pensait que, lui aussi, il tenait prisonnière dans une maison hostile une Mélisande plus belle et plus triste.

Que fallait-il faire? Qu'aurait dû faire Golaud? La musique créait un monde simple et clair où de grandes vertus semblaient faciles. Avant tout, il fallait avoir pitié, aimer. “ *Voyons, sois raisonnable, Mélisande. Est-ce moi que tu voudrais quitter?* ” Antoine soupira. Françoise le regarda furtivement. “ *Oh! non! ce n'est pas cela. Je voudrais m'en aller avec vous. C'est ici que je ne peux plus vivre.* ” Comment n'avait-il pas pensé à cela? Quitter Pont-de-l'Eure.... Alors peut-être il la retrouverait. Mais quelle décision à prendre!

Le rideau se ferma. Le bruit des applaudissements reconstruisit un monde fermé et dur. Au fond de la loge, Thianges, debout, cherchait des visages. “ Regardez, Françoise, là-bas dans la baignoire, c'est Mme Debussy.... Et là, à l'orchestre, ce monsieur debout, qui parle avec Marthe de Fels, c'est Jean Tharaud... ou Jérôme... je ne sais jamais.

— Ce qui est curieux, dit Jean-Philippe, c'est que d'une part ça a très peu vieilli et pourtant en dépit des apparences ça n'a rien inspiré. Il n'y a pas de disciples.

— Mais comment pouvez-vous dire ça, dit Françoise, qui tenait à le contredire.... Toute la musique moderne vient de là. J'ai essayé hier de jouer *Petrouchka* au piano, je trouve tout le temps des sonorités qui sont tout simplement de Debussy.

— Ah! oui, dit Montel, mais je ne crois pas du tout qu'un Russe ait eu besoin de les emprunter à Debussy. La vérité est que cette musique-ci et la musique russe ont une origine orientale commune.

Un vieux monsieur entra et baisa la main d'Hélène.

— Eh bien, dit-il, croyez-vous que ça a vieilli! Quand je pense qu'il y a vingt ans je venais me battre pour défendre Debussy.

Antoine les écoutait avec ennui. Il continuait, lui, à entendre la phrase triste et lente : " *Je ne suis pas heureuse ici....* " Que fallait-il faire pour sauver Mélisande? Les épaules nues et polies de Françoise brillaient doucement; elle portait une robe toute blanche, unie, une robe de jeune fille, sans un bijou. Elle seule pouvait avoir de ces sages audaces et attirer modestement les regards. De nouveau les lumières faiblirent. Antoine se laissa emporter par le fleuve de la musique.

Françoise, elle aussi, rêvait. La scène de la fenêtre la fit penser à Bernard. Quel étrange garçon! Silencieux et fermé comme tous ces Quesnay, mais avec quelque chose de plus romanesque.... " *Je t'aime parce que le plaisir te va bien.* " Que voulait-elle dire exactement, cette femme? Elle sentait encore les mains de Bernard sur ses hanches. Que cette minute lui avait été agréable. Elle avait eu pendant cette soirée un tel désir d'être serrée dans des bras forts.... Antoine était si faible; elle avait pitié de lui; elle n'aurait pas souhaité lui faire du mal; mais elle aurait voulu le trouver différent.

C'était la scène de l'enfant et de Golaud. " *Mon oncle Pelléas.... — Ils s'embrassent quelquefois? — S'ils s'embrassent? Non, petit père.... Mais si, pourtant, une fois....* " Mais si, pourtant, une fois. Et il n'y en aurait pas d'autres. Elle imagina Bernard seul avec elle dans sa chambre, ferma les yeux et écouta.

Mélisande va mourir. Si frêle dans le grand lit, si puérile.... Ah! comme Antoine se sent coupable. Puisqu'il faut en venir là, pourquoi déchirer ceux que nous aimons? Qu'est-ce qui importe en ce monde, sinon de faire naître le bonheur sur un beau visage? Odeur des vagues dans la nuit.... Le phare tournant et son pinceau de lumière.... S'humilier, sacrifier l'amour-propre, sacrifier tout à la joie de comprendre parfaitement un être. " *Je t'ai fait tant de mal, Mélisande. Je ne puis te dire le mal que je t'ai fait.* " Je t'ai fait tant de mal, Françoise.... Un mal obscur, difficile à définir. Un mal par omission, par négligence... mais je t'ai fait tant de mal. " *Ne reste pas ici Golaud : il lui faut le silence maintenant. Venez, venez, c'est terrible mais ce n'est pas votre faute. C'était un pauvre petit être mystérieux, comme tout le monde.* " Comme tout le monde.... Il ne fallait pas chercher à comprendre, il ne fallait pas discuter. A quoi bon? Dans une discussion Françoise avait tort; M. Achille, Bernard avaient raison. Mais il ne fallait pas discuter. Il fallait aimer. Regardant au fond du grand lit ces yeux fermés entre des tresses blondes, Antoine se jura d'arracher Françoise à la tyrannie de l'usine. Les violons égrenaient des sons légers de harpes. Le vieil Arkel souleva l'enfant de la morte.

Les lumières se rallumant une dernière fois montrèrent à Françoise les yeux d'Antoine brillants de larmes qu'il essuya vivement. Elle savait très bien pourquoi il pleurait.

— Mais enfin, cet enfant, dit Thianges en se levant, est-ce qu'il est de Golaud ou de Pelléas?

— Restez-vous à Paris? dit Montel à Françoise en l'aidant à remettre son manteau. Vous verra-t-on encore?

— Non, répondit-elle assez sèchement, mon

mari repart demain et je ne veux pas le laisser rentrer seul.

Les Thianges emmenèrent Montel qui habitait leur quartier; les Antoine prirent un taxi. Ils étaient tous deux très silencieux. Françoise, dans l'obscurité passa doucement ses doigts sur les yeux d'Antoine pour voir s'il pleurait encore. Elle essuya une petite larme invisible, puis appuya sa main sur la bouche de son mari.

— Pauvre Golaud, dit-elle, tandis qu'Antoine embrassait cette main avec force.

XXXII

En sortant du courrier, Antoine dit à Bernard :

— Je voudrais te parler. Peux-tu venir jusqu'à mon bureau?

Une conversation particulière entre les deux frères était si rare que Bernard, tout en marchant silencieusement à côté de son frère, pensa : " Il y a quelque chose de cassé.... Mais quoi?... Antoine fait une tête tragique ce matin; Françoise est si bizarre depuis deux mois. Au fond, Antoine est mal marié. Peut-être un grand homme d'affaires ne devrait-il pas être marié du tout? Il faudrait qu'il fût jaloux de lui-même. Pourtant les grands.... Tout dépend de la femme : il faut qu'elle soit passive, ou collabore. Françoise est antagoniste. "

Sur le bureau d'Antoine, il y avait une grande photographie de sa femme et l'influence de celle-ci était visible dans mille détails. De tous les bureaux Quesnay, celui-là était le seul qui eût un tapis; les meubles étaient anciens et de vieilles gravures représentaient les opérations de l'industrie lainière au dix-huitième siècle. On y voyait des tisseuses en robes à paniers et des enfants charmants en vestes rondes qui faisaient tourner des presses à main.

Bernard prit un fauteuil, joua machinalement avec une règle et, comme son frère ne commençait pas, demanda, d'un ton assez bourru :

— Alors?

— Alors, dit Antoine sans le regarder, je voudrais simplement te poser une question? Est-ce que cela t'ennuierait beaucoup si je quittais la maison?

— Toi? dit Bernard, vraiment stupéfait. Mais quelle idée! Es-tu fou?

— Non! j'ai eu hier soir avec Françoise une conversation qui a duré pendant la plus grande partie de la nuit.... La pauvre petite n'en peut plus. Elle a toujours trouvé notre mode de vie très triste, la tyrannie de grand-père très dure. Elle l'a supportée longtemps, elle a fait beaucoup d'efforts. Maintenant, la brouille avec son père la met dans une situation impossible.... Je t'en prie, ne hausse pas les épaules, Bernard, il faut avoir un peu d'imagination. Nous autres, Quesnay, notre grand défaut, c'est d'être incapable de voir la réalité des autres. Une femme n'a pas, comme toi, une activité constante qui l'empêche de penser à elle. Des incidents qui te paraissent très petits prennent, à ses yeux, une importance énorme. Elle souffre de mille petits froissements que tu ne sentirais même pas.... Tu dis : « Non! » Mais ça ne se discute pas, c'est une question de fait.... En tout cas, moi, je ne veux pas que ma femme soit malheureuse. Je ne veux pas non plus vous mettre dans l'embarras. Je resterai le temps qu'il faudra, mais je désire qu'il soit convenu qu'en principe je quitterai la maison aussitôt que cela sera possible.

— Je trouve tout cela bien exagéré, dit Bernard, en faisant tourner la règle qu'il avait en main, tu prends une décision grave, définitive, à propos d'un état de choses accidentel. Si c'est notre pique avec son père qui trouble tant ta femme, moi, je veux bien serrer la main de M. Pascal et passer l'éponge sur toute cette histoire.

« Il ne faut pas que je laisse la conversation prendre ce tour, pensa Antoine. En paroles tout aura l'air de s'arranger et les difficultés profondes resurgiront à la première occasion.... Mon choix est fait... Françoise.... » — Non, dit-il à son frère, ce n'est pas seulement cela, il y a incompatibilité d'humeur entre la maison Quesnay et Françoise.

Il faut un divorce. Ajoute que moi, tel que je suis devenu depuis six mois, je n'ai plus le sentiment d'être l'homme qu'il faut ici. Je travaille sans plaisir et mal, je le sais; j'ai perdu la foi.

— C'est vrai, dit Bernard, tu as beaucoup changé. Mais, tout de même, tu connais très bien le côté technique de la fabrication et tu rendais encore de grands services. Qui te remplacera?

— Tu auras bientôt le petit Roger Lecourbe. »

Bernard fit une grimace :

— Un fort en thème!

— Il vaudra mieux que moi. Je t'assure que je sens que je suis de jour en jour moins apte à faire ce métier. Cela ne m'intéresse plus; je suis dégoûté; je n'y peux rien.

— Et qu'est-ce que tu feras? Tu sais que vous ne serez pas riches, sans l'usine?... Avec la baisse du franc, tes fonds d'État ne valent pas cher, et d'ailleurs....

— Oh! nous avons pensé à tout cela; notre parti est pris. Nous avons l'intention d'acheter une maison en Provence et d'y passer la plus grande partie de l'année.... Moi, j'aime avoir chaud, et pourvu que j'aie une voiture, un fusil, je suis heureux. Françoise aura ses enfants, un jardin, des fleurs; je garderai un très petit pied-à-terre à Paris pour qu'elle puisse, l'hiver, entendre un peu de musique et voir ses amis....

— Tu t'ennuieras terriblement.

— Ne crois pas ça.... C'est toi, Bernard, qui t'ennuies toujours. C'est d'ailleurs ce qui fait que tu agis, et que tu réussis.... Mais moi, je suis très facile à distraire, j'écrirai peut-être une *Vie de Tocqueville*.... Et puis, je te le répète, ma femme est tout pour moi.... Seulement, tu ne comprendras jamais ça.

— Jamais! dit Bernard, avec une sorte d'humeur.

Il alla vers la fenêtre et regarda, dans la longue cour boueuse, les camions, les ouvriers chargés de pièces, tout le mouvement familier et, pour lui, si intelligible de l'usine. Un mécanicien en cotte bleue portait des fers que Bernard savait destinés à une nouvelle presse hydraulique. Un foulonnier passait, portant sur l'épaule un coupon capucine et un coupon bleu vif, qui faisaient un contraste gai. Plus loin, M. Desmares et M. Cantaert paraissaient discuter avec fureur, et Bernard savait pourquoi. Au-dessus des toits orange de l'usine, sur la colline, on apercevait le cimetière de Pont-de-l'Eure au milieu des arbres jaunissants.

“ Comment Antoine ne voit-il pas, pensa-t-il, que ce mouvement est la vie d'un Quesnay? Moi je ne conçois même pas qu'on puisse renoncer à tout ceci. Il n'y a rien de plus beau, de plus clair, de plus nécessaire au monde. C'est terrible, un homme qui tombe en quenouille. Antoine est fini. "

— Que veux-tu que je te dise? Je ne peux pas te retenir malgré toi. Je te désapprouve et pas seulement au point de vue étroit de cette usine-ci : non, je crois que ce que tu fais est grave, que si la bourgeoisie se met à chercher le bonheur avant tout, elle est une classe perdue. En outre, je crois que tu le regretteras. Cela dit, fais ce que tu voudras. Je me sens de taille à mener la barque tout seul.

— C'est tout ce que je voulais savoir, dit Antoine froidement. Le diable est d'en parler à grand-père.

— Je vais le préparer, dit Bernard.

Puis, lâchant la règle et soudain plus vif :

— A propos, dis-moi; qu'as-tu fait pour les métiers du bord de l'eau? Tu avais parlé de les faire conduire par des moteurs individuels? Est-ce qu'il y a économie?

Pour parler d'engrenages et de transmissions, Antoine retrouva un peu de zèle. Devant lui, le portrait de Françoise, visage ravissant et mélancolique, niait le sérieux de ces problèmes.

" Mais qu'est-ce qui est sérieux? " pensa-t-il tout en calculant la perte en ligne.

XXXIII

— Bonsoir ! dit Delamain. Bonsoir, homme sage qui sais rester rare et précieux. Les imbéciles croient nécessaire de se voir tous les huit jours. La vérité est qu'on se renouvelle peu.

Il attira Bernard vers la lumière et le regarda longuement.

— Pourtant, tu as changé. Tourne-toi : c'est amusant. Tu prends l'allure " capitaine d'industrie.... "

— A quoi vois-tu cela ?

— Ah ! mon cher, il faudrait être un Balzac.... Quelque chose de précis, d'autoritaire,... le col mou, le veston bien coupé, les chaussures fortes.... Et surtout cette expression triste, impitoyable et douce des soldats de Vigny.... Que deviens-tu ? La dernière fois que je t'ai vu ici, tu te disais submergé par les affaires.

— Oui, dit Bernard joyeusement. Je cherchais.... Je cherchais je ne sais quoi dans une direction où il n'y a rien à trouver. Je voulais être « juste ». Ce n'est pas possible. Et même cela ne veut rien dire. On peut être fidèle à son métier, à des compagnons; on peut tenir sa parole, c'est déjà très beau, mais c'est tout.... Maintenant j'ai compris le jeu, Delamain, et les professionnels veulent bien me dire que je suis un partenaire honorable.... L'étrange est que cela ne m'empêche pas de rester, au fond, le jeune homme assez timide et incertain que tu as connu, grand lecteur et grand naïf.... Seulement, dès qu'il est question de tissage, il y a en moi un ancêtre Quesnay qui prend le commandement et qui sait ce qu'il faut faire, sans tâtonnement.... Je suis fils de pilote, je connais les passages.

Delamain secoua la tête.

— Il y a longtemps, dit-il, que j'ai reconnu la présence de l'ancêtre Quesnay.

Ils fumèrent quelque temps en silence.

— Ce qu'il faut que tu comprennes, dit enfin Delamain, c'est que ta solution ne vaut que pour toi. Tu étais tourmenté par certains scrupules, tu les as apaisés par certains sophismes. Tu as sacrifié une partie de ton intelligence à l'unité de ton moi. C'est très bien. Il est certain qu'il nous faut pour pouvoir vivre, construire un système d'idées qui comporte notre existence.... C'est très bien, à la condition que tu n'oublies pas qu'en même temps un Ramsay Macdonald, un Romain Rolland, construisent, eux aussi, des systèmes exactement contraires qui leur paraissent tout aussi solides, tout aussi nobles.

— Aussi nobles, peut-être, dit Bernard; aussi solides, non.

— Mais si, dit Delamain. Tu t'es dessiné un certain type de bourgeois idéal, à la fois militaire et industriel, et tu essaies de le vivre. Tu as raison. Mais un autre s'est dessiné un type de révolutionnaire idéal et il a raison comme toi.... D'ailleurs, j'ai tort de te dire ça.

— Pourquoi? dit Bernard. Et à ce moment l'image de Simone traversa son esprit : " Elle aussi pensait que je vis pour un système qui n'est pas nécessairement vrai. Mais Delamain, comme Simone, ignore au fond la vie réelle qui n'admet, elle, qu'une vérité. " Il continua : — D'ailleurs, la beauté n'est pas dans la doctrine. Elle est dans une certaine attitude.... Ton cher Stendhal avait bien vu ça.... Tiens : j'ai dû te parler jadis avec horreur de la froide avidité des gens d'affaires. Eh bien, mon ami, l'homme est un animal plus complexe que je ne croyais!... Je t'ai raconté la vendetta centenaire des familles Quesnay et Pascal

Bouchet? Depuis la grande crise, elle a repris de plus belle. M. Pascal nous a déclaré la guerre du Velours de Laine qui mériterait, je t'assure, d'être aussi célèbre que celles des Deux Roses ou de Cent Ans.... Sais-tu ce que c'est que le velours de laine?

— Je crois savoir, dit Delamain; c'est une étoffe grise ou beige dont les femmes font des manteaux.... Denise en a un.

— La couleur n'y fait rien, dit Bernard, avec le léger agacement du technicien devant le profane, c'est un tissu cardé dont le poil est relevé, puis tondu.... Enfin, c'est le grand succès de l'après-guerre. La petite bourgeoise manque d'argent, la vie est chère, les femmes couvrent la misère de leurs robes avec ces manteaux clairs, garnis de fausse fourrure. Toute la fabrication française ne tisse que cela et la concurrence est terrible, mais pendant longtemps, nous, les Quesnay, nous avons eu avec M. Pascal Bouchet le monopole des très beaux velours. L'apprêt de la Vallée était célèbre; nous pouvions gagner notre vie.... Seulement il est arrivé qu'à la suite de querelles de famille qui avaient déjà eu pour résultat de faire abandonner l'usine par mon frère....

— Ton frère Antoine? dit Delamain. Il vous a quittés?

— Oui, tu ne le savais pas? Il a acheté une

maison dans le Midi et il y vit depuis quelques mois.... Oh! je me passe de lui; il ne faisait plus grand-chose.... Donc, M. Pascal, se sentant libéré de tout devoir envers nous par ce départ de son gendre, a commencé les hostilités en offrant au Louvre un velours superbe à un prix tout à fait ridicule. « Très bien! a dit mon grand-père, si Pascal veut jouer cette partie, c'est moi qui en verrai la fin. J'ai les reins plus solides que lui. » Nous avons donc contre-attaqué le lendemain et gagné brillamment la bataille des Galeries Lafayette. Puis la campagne s'est poursuivie, avec des fortunes diverses, au Printemps, à la Samaritaine. Le combat du Bon Marché est demeuré indécis, chaque parti criant victoire. Au début, tous deux auraient souhaité circonscrire la lutte, mais c'est impossible. Les prix sont vite connus. Un cours s'établit. On en vient à tout vendre au-dessous du prix de revient. Quand l'inventaire de décembre est arrivé, M. Pascal Bouchet perdait plusieurs millions. Nous en perdions naturellement tout autant, mais il en souffrait plus durement, n'ayant pas de réserves. Avant le début des hostilités, il avait déjà été fort entamé par la déconfiture d'un sieur Vanekem, par la baisse du change roumain et par les dépenses énormes faites pour restaurer son château de Fleuré, qui a appartenu à

Agnès Sorel.... Il faut avoir entendu mon grand-père expliquer ces choses et parler d'Agnès Sorel, avec un mouvement d'épaules inimitable. Malgré tout, M. Pascal portait beau et faisait confiance à l'avenir. Une banque locale le soutenait; une bonne saison pouvait tout réparer.

" Par malheur, le banquier lui-même a eu le plus pressant besoin d'argent et a dû exiger le remboursement immédiat d'une avance. M. Pascal a demandé un délai; l'autre ne pouvait le lui accorder.... Enfin, il y a quelques jours, l'usine Bouchet semblait condamnée à suspendre ses paiements à la fin du mois. Dénouement assez tragique, sous son apparente banalité, si tu penses que M. Pascal a soixante-huit ans, qu'il a travaillé pendant toute sa vie, qu'il a été considéré justement comme le plus honnête des hommes, enfin que c'était pour lui une fin de carrière triste et imméritée. Pour mon grand-père, au contraire, c'était la réalisation de toutes ses prophéties, la ruine de l'ennemi héréditaire, la grande victoire.

" Or, M. Pascal, dans cet extrême danger, a fait la dernière chose qu'on eût pu prévoir. Il a demandé un rendez-vous à mon grand-père auquel il n'avait pas parlé depuis de longs mois, lui a exposé la situation et lui a dit qu'il comptait sur son appui. "

— C'est Napoléon à bord du *Bellérophon*, interrompit Delamain. " Je viens, comme Thémistocle, m'asseoir au foyer du plus puissant, du plus constant et du plus généreux de mes ennemis. "

— Exactement.... Mais mon grand-père s'est beaucoup mieux conduit que les Anglais. D'abord il n'a montré aucune joie; il n'a même pas dit, ce qui eût été légitime : " Je l'avais toujours prédit! " Il est resté pendant toute la soirée silencieux et même assez sombre. Le lendemain matin, il est allé à Louviers et s'est enfermé avec M. Pascal. Quand il est revenu, il nous a dit : " J'ai vu les derniers inventaires. Il est très possible de sauver l'affaire. Il faut quatre millions, nous pouvons faire ça. " Et il a remis sur pied ce concurrent, de qui, depuis quarante ans, il poursuivait l'anéantissement.... Qu'en penses-tu?

Delamain regarda son ami avec une attention amusée.

— Je pense, dit-il, que vous êtes bien dans la tradition militaire.... On se bat quatre ans, trente ans, cent ans, puis tout le monde est ruiné et le vainqueur prête ce qui lui reste au vaincu.... Au fond, vois-tu, ce qui a fait la grande erreur de tous les anciens économistes depuis Ricardo et Bentham jusqu'à Marx, c'est de croire qu'on fait des affaires pour gagner de l'argent. Le but d'un homme comme ton grand-père n'est pas de devenir riche, mais de le devenir en luttant avec un rival. Si le rival disparaît, le jeu est fini.... Comme dit cet Anglais... Russell, je crois.... : " Si deux équipes de football s'entendaient, elles pourraient marquer beaucoup plus de buts, seulement il n'y aurait plus de football. "

— Tu comprends très bien, dit Bernard, mais c'est un jeu assez triste.

— Tous les jeux sont tristes, dit Delamain. Les hommes vraiment gais ne jouent pas.

— Ne fais pas de paradoxes, dit Bernard. J'ai travaillé toute la journée, je suis fatigué.

Il regarda sa montre. Il dînait avec Liliane Fontaine. Elle lui avait demandé d'être exact, parce qu'elle entrait en scène à neuf heures.

L'escalier de Delamain était raide, mal éclairé.... Ce dîner?... Elle allait parler de sa carrière.... D'ailleurs c'était vrai, qu'elle devenait célèbre. " Dans ma génération, disait Liliane Fontaine, il n'y a que Falconetti, Gaby Morlay, Blanche Montel et moi.... Il y a de la place pour toutes. " Elle disait aussi : " C'est dommage que le Français paie si mal, parce que je voudrais bien jouer *Phèdre*.... " Au fond, elle n'aimait pas Bernard. Elle ne pensait qu'à son métier. Lui aussi. Elle avait un corps charmant. C'était très bien.

XXXIV

Pendant les quatre années qui suivirent, le gouvernement de la maison Quesnay et Lecourbe fut le théâtre de changements lents et profonds. M. Achille vieillissait; sa mémoire était moins bonne; en certains jours le coin de sa bouche était légèrement tordu et il parlait alors avec difficulté. En même temps, il devenait irritable et critiquait les décisions de Bernard avec une sorte de jalousie, sans être capable d'en suggérer d'autres. On prenait l'habitude de lui cacher les événements désagréables. Le pouvoir se retirait de lui. Il en souffrait : " Pourquoi vous taisez-vous quand je m'approche? " disait-il.

Bernard semblait ne plus vivre que pour l'usine, avec une ardeur sombre et taciturne. Un jour par semaine, il allait à Paris pour voir ses clients. Peut-être consacrait-il une soirée à ses plaisirs. On disait qu'il pensait à se marier. Françoise, qui revenait chaque été passer, avec ses enfants, quelques semaines à Fleuré, prétendait que son beau-frère était amer et triste, qu'il avait sacrifié la seule femme qu'il aimerait jamais, et qu'il le regrettait profondément. Antoine ne le croyait pas du tout. " Tu ne le connais pas, disait-il, les femmes ne jouent aucun rôle dans sa vie. "

A Pont-de-l'Eure, Bernard était dans son bureau tous les matins à huit heures; une heure d'escrime le soir était sa seule distraction; il se couchait tôt. Quand il pensait à lui-même, c'était toujours comme à un jeune homme, mais les autres jugeaient à la fois qu'il vieillissait et qu'il prenait une grande autorité. Les employés savaient que les décisions de M. Bernard étaient les seules importantes. Ils avaient toujours considéré celles de M. Lecourbe comme d'éloquentes songeries. Ils voyaient bien que celles de M. Achille n'étaient plus, comme jadis, sans appel.

Un fils de M. Lecourbe était " entré dans l'affaire " en octobre 1921. Au début, son cousin l'avait jugé avec une injuste et sommaire sévérité. D'abord, parce qu'il était un Lecourbe, ensuite parce qu'il était licencié en philosophie et docteur en droit, surtout parce que le premier jour de sa présence, il avait critiqué les méthodes de la maison et annoncé des intentions de réforme.

— Vous ne gagnez rien du tout, avait-il dit en feuilletant les inventaires. Votre argent vous rapporterait autant si vous le placiez en reports ; et en francs-or, ce qui est la seule vraie manière de compter, vous vous appauvrissez chaque année.

Bernard l'avait prié d'endosser une salopette bleue et l'avait envoyé au triage des laines. Il y passa plusieurs journées, assis sur une haute chaise devant une claie grasse chargée de toisons, en face d'un vieux trieur narquois auquel, de temps à autre, M. Achille venait demander son diagnostic.

— Il fait ce qu'il peut, monsieur Achille, disait le vieillard, il fait ce qu'il peut, mais il n'est pas bien intelligent. Encore ce matin, il m'a laissé des gorges dans un premier choix.

Mais Roger Lecourbe était un type de jeune homme très différent de ceux qu'avait produits la génération d'Antoine et de Bernard. Il parlait d'économie politique, comme son père, mais était toujours bien informé. Il conduisait sa Bugatti à ravir et prenait à 120 des virages impeccables. Il sautait 1 m. 67 en hauteur, 6 m. 32 en longueur et courait le 100 mètres en 11 secondes 2/5. Il se mit en tête d'être champion de triage de laines et le fut en quinze jours. Le père Ursin, son professeur, s'étonna : “ Il est plus fort que moi, monsieur Bernard, c'est à ne pas croire. ”

Alors Bernard, qui ne demandait qu'un disciple, adopta son cousin, et tout de suite, lui confia de petites missions formatrices.

— Roger, ces lisières sont roulées, fais venir M. Desmares à la perche et dis-lui que ça doit cesser.

— Moi je veux bien, disait le jeune Lecourbe, mais je sais comment cela se passera. Il prendra son lorgnon de la main droite, lèvera la main gauche vers le ciel et affirmera que ça ne peut pas venir du tissage. Et il aura sans doute raison.

— C'est, en effet, probable. Alors tu feras venir M. Leclerc et tu lui diras que ça vient des apprêts.

— Autre chanson. Il répondra : " Monsieur " Roger, si vous m'expliquez comment les apprêts " peuvent faire ça, je suis curieux de vous entendre.... " Et je serai très embarrassé.

Bernard rit franchement.

— Oui, dit-il, seulement quand tu auras ainsi blâmé injustement toute l'usine, les lisières roulées disparaîtront.... Il faut crier.

— Tu es terrible, Bernard, dit Roger Lecourbe. Au fond, M. Achille et toi, vous êtes des Spartiates, c'est-à-dire d'excellents guerriers, complètement insupportables.

— Mais non, grommela Bernard, bourru mais assez content.

Il prit l'habitude d'avoir avec lui ce jeune homme qui le suivait fidèlement dans toutes ses tournées. Quelquefois il se demandait : " Comment Roger me voit-il? Est-ce que je suis pour lui ce que mon grand-père était pour moi, c'est-à-dire un être utile, efficace, mais un peu ridicule, un peu entêté? C'est probable. Et pourtant il me semble que c'est hier que je suis moi-même revenu de la guerre. "

Quand il se rencontrait dans une glace, il contemplait le Bernard Quesnay lycéen, puis soldat qu'il avait toujours connu. Que voyaient les autres? Un souvenir triste le traversait comme une douleur aiguë. " Tu t'aimes? " C'est ce que disait sa chère Simone, quand elle le trouvait ainsi devant une glace. " Oh! pas du tout, répondait-il, mais je me surprends tellement. "

Cela restait vrai.

XXXV

Un domestique vint au bureau dire que M. Achille était souffrant et garderait la chambre. A l'heure du déjeuner, Bernard alla prendre des nouvelles. Dans l'escalier, il rencontra le médecin.

— Est-ce grave? demanda-t-il.

— Grave? dit le docteur Guérin. Non, ce n'est pas très grave cette fois, mais c'est un sérieux avertissement. Il ne faut plus qu'il travaille.

M. Achille avait eu une petite congestion. Il était étendu sur une chaise longue, le visage un peu trop rouge, avec cet air de gravité que donnent l'approche de la mort et l'effort de la lutte, il respirait vite et levait sur les arrivants des yeux inquiets, vitreux.

Bernard regarda cette chambre à coucher où il n'était jamais entré depuis son enfance. Le lit de sa grand-mère y était resté. Les meubles étaient couverts de velours grenat. De gros boutons ponctuaient le capitonnage des fauteuils. Il y avait aux murs des daguerréotypes, sur la cheminée un bronze offert par les ouvriers le jour du mariage de M. Achille. Ce bronze représentait un homme nu, appuyé sur une charrue. Il y avait aussi des coquillages et des pierres peintes, souvenirs de Dieppe et d'Étretat.

— Bonsoir, grand-père, dit Bernard.

— Bonsoir, dit une voix curieusement faible. Quoi de nouveau?

— Pas grand-chose. Tout va bien. Nous avons reçu ce matin une belle commission du Brésil.

— La livre?

— Plus de 100 francs.

— La laine?

— Chère.

A ce moment, M. Lecourbe et son fils entrèrent sur la pointe des pieds.

— Quoi de nouveau? dit le vieillard avec lassitude.

— Rien, dit Roger, tout est de plus en plus cher. J'ai vu aujourd'hui du 2-70 à 80 francs. Et pourtant il m'en faut.

— Pour les gabardines? dit M. Achille.

Et il sourit presque, heureux de se souvenir.

Puis tous se turent. Assis autour de l'ancêtre, ils cherchaient en vain un sujet qui pût le distraire de son angoisse. " Le Maroc? " pensa Bernard.... " Non, ça lui est égal.... Les grèves minières en Angleterre? Non... Qu'ai-je donc vu, hier, à Paris? La *Sainte-Jeanne* de Shaw? Je serais bien reçu!... C'est étrange, il va peut-être mourir et pourtant, il me semble inconcevable qu'on puisse lui parler avec tendresse ou même avec naturel.... Je crois qu'il m'a aimé. Pauvre vieux!... "

Un défilé rapide de pensées lui présenta soudain un objet d'un intérêt certain pour le malade.

— Le foulonnier de M. Pascal a dit à un des nôtres que tous leurs pardessus de la nouvelle saison sont ratés.

— Ah! Ah! dit M. Achille avec un faible sourire de sa bouche tordue. Il n'a jamais su fouler, Pascal, jamais.

— Les épinceteuses, dit M. Lecourbe, réclament une augmentation de salaire.

— Et elles ont raison, murmura Roger Lecourbe.

Bernard lui jeta un regard mécontent :

— Elles ont raison, dit-il, c'est facile à dire.

A ce moment, le son de sa propre voix lui

rappela que son grand-père lui avait répondu par cette même phrase, exactement la même, six ans plus tôt, et il rougit. M. Achille avait fermé les yeux. Tous sortirent sur la pointe des pieds.

XXXVI

M. Achille eut sa troisième attaque, dont il mourut, en décembre. Antoine et sa femme vinrent de Saint-Tropez assister à l'enterrement. Ils logèrent à Fleuré, mais déjeunèrent avec Bernard, qui trouva son frère changé. Il avait un teint plus coloré, une allure plus souple. « Un côté *Bonjour, monsieur Courbet* », pensa Bernard. Françoise était enceinte et paraissait heureuse, plus placide qu'autrefois. Le visage tendait à s'empâter, mais elle restait très belle.

Elle se sentait tout à fait étrangère à Pont-de-l'Eure et les objets lui apparurent avec un caractère de nouveauté qu'elle ne leur avait jamais connu.

— Mais comme Bernard a vieilli ! dit-elle à Antoine à mi-voix, pendant que Bernard téléphonait.

— Il vient d'avoir quelques jours très durs.

— Oui, mais ses cheveux sont gris et il a des rides : deux plis très marqués entre le nez et la bouche. Tu as l'air beaucoup plus jeune.

— Je vois où tu veux en venir, dit-il, et il lui sourit avec tendresse.

Bernard qui, debout, récepteur en main, vit de loin ce sourire, fut agacé.

“ Cette vie dans le Midi,... pensa-t-il. Le réveil très tard, sous des moustiquaires.... Les journaux.... Le déjeuner au soleil sur le balcon, Antoine en pyjama, Françoise en kimono.... Les enfants sur la plage.... La sieste, un roman.... Le thé, des Anglais, des Russes de Cannes.... Des toasts, une tranche de cake.... Bonheur écœurant. ”

Quand il revint vers eux, Antoine lui demanda des nouvelles de l'usine.

— Vous êtes occupés? Et la laine? C'est cher? Tout ça doit être bien difficile.

— La laine? dit Bernard. Elle monte, elle baisse, on commence à s'y habituer; on ne spécule plus, on achète au jour le jour; tantôt on se trompe, tantôt on réussit; ça n'a pas grande importance. Non, ce qui est grave, c'est le change et surtout les impôts.... Tout cela est si obscur, si mal réglé....

— Et les ouvriers? Vous n'avez plus de grèves?

— Non : nous avons maintenant un système de relèvement automatique des salaires quand le coefficient du prix de la vie augmente. C'est fait très honnêtement. Au fond, les ouvriers sont de braves gens. Quand on joue le jeu avec eux, ils le reconnaissent. Tout ça est plus simple que nous ne pensions.... Ce qui m'occupe surtout, ce sont nos nouvelles affaires.

— Oui, dit Antoine, je sais : ton affaire de laines à Roubaix et ta filature aux États-Unis.... Tu dois avoir un travail terrible.

— Mais non! Roger m'aide beaucoup.... Il est devenu excellent.... Et puis j'aime travailler. Que veux-tu qu'on fasse de la vie quand on ne travaille pas? On pense à soi, on s'analyse, on se tourmente. C'est exquis de rentrer le soir, bien assommé par la fatigue, de se coucher à neuf heures et de dormir comme une brute.

Françoise qui écoutait cette conversation, dit avec un peu d'âpreté :

— Mais c'est une philosophie d'homme malheureux, Bernard?

— Pas du tout, dit Bernard, avec défi.

Il avait encore plaisir à la regarder, mais il y

avait maintenant entre eux comme une hostilité latente. Elle le sentit et, quand elle se trouva seule avec lui pendant un instant, le regarda avec beaucoup de coquetterie :

— *It's funny*, Bernard, *to see you turned into a big man of business. Everybody says you are one.*

— *Don't you believe them. It's all a game*[1].

Elle eut la fugitive impression qu'elle soulevait un masque et qu'il allait lui révéler un visage plus vrai, mais à ce moment Roger Lecourbe entra, escortant sa sœur.

Les Lecourbe avaient, pour l'enterrement, fait revenir d'Angleterre Yvonne, que Bernard n'avait pas vue depuis longtemps. Au premier regard, on la trouvait massive, d'autant plus qu'elle s'habillait avec une rudesse monacale. Elle avait de beaux yeux, un peu myopes, et une jolie voix. Elle était grave, précise, mais pas du tout pédante. Un trait d'elle qui plut beaucoup à Bernard fut qu'elle n'affecta nullement une douleur qu'elle ne ressentait pas. Elle fut très correcte, mais cessa presque tout de suite de parler de la mort de ce vieillard

1. Cela paraît drôle, Bernard, de vous voir transformé en grand homme d'affaires. Tout le monde dit que vous en êtes un.

— Ne le croyez pas, ce n'est qu'un jeu.

qu'elle avait à peine connu, pour expliquer à son frère et à Bernard les conditions du travail en Angleterre.

— Je crois, dit Bernard, que leur grande erreur a été de vouloir à tout prix maintenir la valeur or de la livre. La conséquence est que leurs salaires sont presque doubles des nôtres, que leurs prix sont trop élevés et qu'ils ne peuvent plus exporter.

— C'est tout à fait exact, dit Yvonne Lecourbe, et leur chômage vient de là. Ils sont très fiers de leur rétablissement financier; au fond, ce n'est qu'une prime à la richesse acquise.

— Je ne suis pas de votre avis, dit Roger. Il faut bien arriver à la crise de chômage un jour ou l'autre. Voyez l'Allemagne... les Anglais ont fait leur maladie plus tôt; ils ont peut-être eu raison; c'est moins dangereux.... C'est comme la rougeole, il vaut mieux l'avoir eue.... Et puis en ce moment, nous, Français, nous travaillons, nous exportons, c'est vrai, mais au-dessous du prix mondial. Nous nous dévorons lentement.

— Ce n'est pas entièrement vrai, dit sa sœur; dans un prix il y a deux éléments, la matière première qui, achetée en or, doit être vendue en or, mais aussi la main-d'œuvre.... Si l'ouvrier français peut, avec un salaire moindre, vivre aussi bien que l'ouvrier anglais, ça n'appauvrit pas la France puisque la nourriture est produite dans le pays.

— Mais si, dit son frère.... Voyons, Yvonne, pousse le raisonnement à l'absurde. Le franc papier tombe presque à zéro... Bon, le paysan français continue à nourrir le tisserand français, lequel vend son travail pour rien à des clients anglais ou américains.... Cela revient à dire que la France devient une nation d'esclaves au service de la livre et du dollar.

— Évidemment, dit Yvonne, la sagesse serait l'arrêt sur place, le franc stabilisé.... En aurons-nous le courage?

Elle parlait avec beaucoup d'animation en croisant parfois ses jambes d'un mouvement brusque, qui découvrait jusqu'aux genoux des bas de laine grise.

La discussion économique continua longtemps sur ce ton. Quand les petits Lecourbe partirent, Bernard dit avec enthousiasme à Françoise :

— Mais elle est admirable, cette Yvonne! C'est comme une bonne voiture : on peut la pousser, elle rend toujours merveilleusement....

— Quelle étrange façon de s'habiller, dit Françoise.

Et elle soupira.

Puis elle parla de sa maison.

— J'ai des figuiers, Bernard, et des orangers, des roses au milieu des oliviers et un jardin à l'italienne avec de grandes jarres de terre brune.... Il faut venir nous voir.

XXXVII

Une foule immense suivit le convoi. A onze heures, sirènes et sifflets avaient annoncé la fermeture des usines de la Vallée. Tous les ouvriers étaient venus. Le char était couvert de grandes couronnes. Sur des rubans violets, on lisait : " Le personnel de la filature des Établissements Quesnay et Lecourbe. " — " Le personnel du Tissage du Bord de l'Eau. " — " Le Conseil d'Administration du Carbonisage Lovérien à son Président " — " Les Sapeurs-Pompiers à leur bienfaiteur. "

Le cimetière de Pont-de-l'Eure est situé sur une colline qui domine la ville. En sortant de l'église, le long cortège noir s'engagea sur la route à forte pente qui passe le long des usines Quesnay. Bernard qui, jusqu'alors, avait marché tête basse, leva les yeux et regarda le char couvert de fleurs. Puis inconsciemment, il occupa son esprit à reconnaître les bâtiments. Çà et là, une porte ouverte laissait entrevoir des pièces entassées, des chardons, des caisses, des ruisseaux jaunâtres : “ La filature... l’épaillage... le foulon.... le décatissage... Tiens, la teinture fume encore! ” Le cercueil glissait lentement, comme s’il les eût passés en revue, devant les ateliers silencieux. M. Achille faisait sa dernière tournée.

M. Pascal Bouchet prit doucement le bras de Bernard. Ce beau visage rose avait vieilli; la barbe blanche était plantée maintenant parmi les ravines bleutées et profondes. Lui aussi, bientôt, suivrait cette même route. Il montra à Bernard l’immense usine et dit : “ *Vanitas vanitatum et omnia vanitas, mon ami Bernard.* ” Le cortège s’arrêta brusquement. Le maître des cérémonies changeait les porteurs de cordon : “ Monsieur le préfet de l’Eure!... Monsieur le maire de Louviers!... Monsieur le président de la Chambre de Commerce!... ” M. Pascal Bouchet abandonna le bras de Bernard.

Par un grand effort des chevaux qui glissaient sur le verglas, le char s’ébranla de nouveau. On repartit. Roger Lecourbe regarda Bernard, qui marchait maintenant seul, légèrement en avant. Il se demanda s’il avait du chagrin : “ Je crois, se dit-il, qu’il doit plutôt avoir le sentiment qu’il succède, que désormais il eſt le patron, que c'eſt très lourd.... Il n'a pas dit un mot depuis ce matin, sauf pour donner des ordres.... Et pourtant, on ne peut pas dire que Bernard soit un autre Monsieur Achille. Il eſt beaucoup plus conscient. C'eſt peut-être ce qu'il y a d'assez beau dans l'homme moderne, cette faculté de se dédoubler, d'accepter le conflit. Les marionnettes ont compris la pièce, et pourtant elles continuent à jouer.... Comment eſt donc la phrase de Barrès : " Goûter jusqu'à la fureur la volupté de se sentir différent de soi-même.... " Non, c'eſt bien mieux dit.... : " Je goûte jusqu'à.... "

On entrait dans le cimetière. L'allée, plus étroite, disloquait le cortège. Derrière Roger Lecourbe marchaient maintenant des inconnus : " Non, non! disait un vieux monsieur, moi je ne peux pas vivre dans ton univers d'Einſtein. L'idée que l'espace eſt fini, ça m'eſt pénible. — Calme-toi, Édouard, calme-toi, répondit une voix, je te rends l'infini de l'espace. "

Il entendit aussi : " Tant qu'on augmentera la vitesse des voitures sans améliorer en même temps les routes.... "

Puis les mouvements de la masse portèrent vers lui une voix de jeune homme : " C'eſt une très jolie petite poule mais elle a des jambes canailles.... "

Roger pensa à son amie qui en avait de délicieuses; c'était une Suédoise cultivée, compliquée, qu'il avait connue aux Sciences Politiques. Une brusque montée de désir l'envahit. Il ferma les yeux une seconde, puis les rouvrant, fut étonné de voir des tombes, des milliers de mains gantées de noir. Il avait perdu du terrain et Bernard était maintenant séparé de lui par tout un champ de têtes nues.

Quand il parvint à rejoindre son cousin, qui se tenait immobile et comme au garde-à-vous devant un caveau sur lequel on lisait : " Famille Quesnay ", la cérémonie était presque terminée. M. Cantaert prononçait un discours : " Au nom des employés de la Maison Quesnay et Lecourbe, j'ai tenu à dire un dernier adieu.... " Sans doute éprouvait-il un soulagement involontaire à penser que, de sa boîte de chêne, le terrible vieillard ne pouvait rien répondre. Bernard se retourna un instant et regarda la foule qui l'entourait, puis les hautes cheminées qui fumaient doucement. C'était un admirable jour d'hiver. Les lignes et les couleurs étaient nettes. Un trait de neige soulignait les branches noires des arbres. Les toits plats des usines Quesnay, les réservoirs cimentés qu'emplissait une eau d'un bleu froid, les longs hangars métalliques des magasins de laine formaient, au-dessus de la ville, comme un château fort protecteur et dur.

Roger Lecourbe observa encore Bernard, qui était très pâle, et pensa : “ Un jour, sans doute, je serai ici au premier rang et quelqu’un dira : “ Adieu, monsieur Bernard, adieu.... ” Quelle vie aura-t-il eue? ”

Le défilé fut long. De fortes mains broyèrent mille fois celle de Bernard qui s’inclinait mécaniquement et disait : “ Merci, Heurtematte.... Merci, Quibel.... Merci, madame Quimouche.... Merci, Ricard.... Merci, monsieur Leclerc.... ” Des clients étaient venus. M. Roch murmura : “ Ah! mon ami, votre pauvre grand-père.... Je le verrai toujours, assis devant cette table.... ” Beaucoup de vieilles ouvrières pleuraient. Longtemps Bernard espéra voir Simone. Il n’y avait aucune raison pour qu’elle fût là, mais chaque fois que, tournant la tête à gauche, il apercevait au fond des cheveux blonds, une femme jeune, il se disait : “ C’est elle.... ” Quand il regardait à droite, il voyait, un peu plus loin, le profil ferme et sérieux d’Yvonne Lecourbe, qui protégeait ses yeux myopes par de grandes lunettes d’écaille. Françoise avait reculé d’un pas et se tenait debout derrière la famille, appuyée à l’épaule de son mari. Vers une heure, on aperçut la fin de l’interminable frise des têtes et de cravates noires. M. Cantaert s'approcha, son chapeau à la main.

— Monsieur Bernard, dit-il à voix basse, M. Roch demande si vous serez à l'usine à deux heures?

— Naturellement, dit Bernard.

Imprimé en France
BRODARD & TAUPIN
Paris - Coulommiers
— 7567-10-1949 —
1er dépôt légal : 30-4-1926.